CASAS
HOUSES

Compilado por/Edited by
Diana Veglo, Andrea Birgin
Roberto Amette, Roberto Busnelli
Flávio Kiefer, Maturino da Luz
Sergio Moacir Marques

Kliczkowski

Dirección de Arte / Art Direction:
Haydée S. Barrionuevo

Diseño Gráfico / Graphic Design:
Guillermo Raúl Kliczkowski

Traducción / Translation:
Marina Mercer, Walter Seward

Proceso electrónico / Electronic Process:
Miguel Novillo, Angel Fernández

Fotocromos / Films:
Artes Gráficas Junior

Propiedad de / Copyright:
© Kliczkowski Publisher - A Asppan S.L.

ISBN 84-89439-66-4
Dep. Legal: M-43561-2001

Este libro es una reimpresión de las revistas
CASAS INTERNACIONAL Nº 46, 58, 66, 69

Impreso en / Printed in:
Artes Gráficas Grupo S.A. Nicolás Morales 40. Madrid

Printed in Spain

Noviembre / November 2001

*En venta en Latinoamérica / On sale in Latin
America at:*
Librería Técnica CP67 S.A., Florida 683, Local 18
C1005AAM Buenos Aires, Argentina
Tel. 54 11 4314-6303, Fax: 54 11 4314-7135
www.cp67.com - E-mail: info@cp67.com

En venta en Argentina / On sale in Argentina at:
FADU, Ciudad Universitaria, Pabellón 3, Planta Baja
C1428EHA Buenos Aires, Argentina
Tel. 54 11 4786-7244
La Librería del Museo (MNBA), Av. del Libertador 1473
C1425AAA Buenos Aires, Argentina
Tel. 54 11 4807-4178
UP Universidad de Palermo, Mario Bravo 1050
C1175ABT Buenos Aires, Argentina
Tel. 54 11 4964-3978

*En venta en España y Portugal / On sale in Spain
and Portugal at:*
A Asppan S.L., c/ De la Fundición, 15
Polígono Industrial Santa Ana
28529 Rivas Vaciamadrid, Madrid, España/Spain
Tel. 34 91 666-5001, Fax: 34 91 301-2683
www.onlybook.com - E-mail: asppan@asppan.com
A Asppan Barcelona, Provença 292, Pral. 2º A
08008 Barcelona, España/Spain
Tel. 34 93 487-3087, Fax 34 93 487-9065
Móvil 34 609 10-9425
E-mail: asppanbcn@asppan.com

En venta en España / On sale in Spain at:
CP67 Librerías S.L., c/ De la Fundición, 15
Polígono Industrial Santa Ana
28529 Rivas Vaciamadrid, Madrid, España/Spain
Tel. 34 91 666-5001, Fax: 34 91 301-2683
www.onlybook.com - E-mail: asppan@asppan.com

En venta en Uruguay / On sale in Uruguay at:
CP67 Librerías, Boulevard Artigas 1147, Apartamento 102
11300 Montevideo, Uruguay
Tel. 598 2 404-9712, Fax: 598 2 402-9713

En venta en Inglaterra / On sale in England at:
Art Books International Ltd., 220 Stewars Road
Londres SW8 4UD, Inglaterra/England
Tel. 44 171 720-1503, Fax: 44 171 720-3158

En venta en Italia / On sale in Italy at:
Gribaudo Snc, Via Giorgio Turcotto, 4/13
12030 Cavallermaggiore (CN), Italia / Italy
Tel. 39 0172-381300, Fax: 39 0172-389034
E-mail: com.gribaudo@libero.it

En venta en Grecia / On sale in Greece at:
Tecnotropia, Elikonos, 89
Atenas, Grecia / Greece
Tel/Fax: 30 1 228-7823

En venta en México / On sale in Mexico at:
Advanced Marketing, Aztecas 33
Col. Sta. Cruz Aclatán
C. P. 53150 Naucalpan, Estado de México
Tel. 52 5 360-3139, Fax: 52 5 360-5851
Librería Juan O'Gorman, Av. Constituyentes 800
Col. Lomas Altas, México D.F. 11950
Tel. 52 5 259-9004, Fax: 52 5 259-9015
E-mail: novodzelsky@inserve.net.mx

En venta en U.S.A / On sale in U.S.A. at:
Coti Import / Only Architecture, 5849 NW 112th. Ct
Miami FI 33178, U.S.A.
Tel. 1 305 715-7354, Fax: 1 305 418-4978
www.onlyarchitecture.com - E-mail: archmaga@gate.net

CASAS
HOUSES

INDICE / INDEX

LA VIVIENDA, SIEMPRE LA VIVIENDA

HOUSING, ALWAYS HOUSING

POR/ BY LUIS J. GROSSMAN

ILUSTRADOR / ILUSTRATOR
COCO RASDOLSKY

La secuencia de proyectos que se exhibe en este volumen, formada por una serie de trabajos seleccionados en el área de América latina, demuestra, una vez más, la vitalidad y la coherencia que el tema de la vivienda conserva a pesar de los cambios operados en la sociedad de fines del siglo XX.

Es posible que esas modificaciones en la estructura de la familia y en el campo del trabajo y las comunicaciones, que son más verificables en los Estados Unidos de Norteamérica y en algunos países de Europa, no hayan alcanzado aún con la misma intensidad a los pueblos de América latina. Este dato no es menor a la hora de examinar el programa básico aplicado por los arquitectos en la etapa de gestación de un proyecto, y es —a mi modo de ver— positivo en cuanto a la conservación de algunos ingredientes esenciales para la salud del tejido social.

De todos modos, lo que se vislumbra al revisar este prolijo trabajo es que las invariantes que están latentes en la noción de vivienda (un tema que procuré abordar en el prólogo del libro *The Best of American Houses* (Kliczkowski Publisher, octubre de 2000) se revelan con transparencia en la mayoría de los ejemplos mostrados, con los matices propios de las formas de vida y el clima de esta región.

Las tres áreas clásicas (estar-privado-servicio) se conservan por lo general sin cambios, con distintas maneras de relacionarse que a veces producen un contrapunto entre ellas. Juegan también un papel sustancial los espacios de expansión, abiertos o semicubiertos, que tienen en las culturas de origen latino una importancia singular para la vida de la familia.

The sequence of projects presented in this volume, composed by a series of works selected in the Latin American region, shows, once more, the vitality and coherence that the issue of housing retains in spite of the changes that took place in society towards the end of the 20th. Century.

Possibly those alterations in family structure and in the workplace, as well as in communications, that are more noticeable in the United States of America, and some countries in Europe, have not yet reached the same intensity among the Latin American people. This is no minor issue, when you examine the basic program applied by architects during the project planning stage, and is —from my point of view— something positive, as it results in the preservation of some essential ingredients which are vital to the health of the social fabric.

Nevertheless, what can be seen when one checks this tidy compilation, is that the invariants that have to be considered in housing (a subject that I tried to approach in the prologue of *The Best of American Houses* (Kliczkowski Publishers, October 2000) are clearly shown in most of these examples, with the variations which respond to the lifestyles and climate of this region.

The three classic areas (living-private-service) generally remain unchanged, with different manners of relating, sometimes producing a counterpoint between them. There is also an important role played by the expansion spaces, open to the sky or roofed, which among Latin cultures are of singular importance in family life.

La paradoja de Curutchet

La secuencia se abre, y me parece sugestivo que sea así, con la casa que Le Corbusier proyectó para el doctor Pedro Domingo Curutchet en la ciudad de La Plata, Argentina. Se trata de un caso para el análisis y la controversia.

El diseño del maestro revela la destreza para resolver las necesidades (que su comitente le expresara en un largo escrito) en un terreno de medidas exiguas y en una situación, entre medianeras, que no era frecuente entre los casos enfrentados por Le Corbusier a lo largo de su trayectoria.

La extraña paradoja que presenta esta casa es que su dueño, un cirujano de éxito y con inquietudes culturales, no pudiera disfrutar de ella al extremo que terminó por abandonarla e irse a vivir en una población de provincia, en una vivienda modesta y lejos de la obra que lo desvelara durante muchos años, si se suman los que demandó su construcción y los pocos que habitó en ella la familia Curutchet.

En su afán de respetar rigurosamente los rasgos del proyecto original, el doctor Curutchet se sometió a algunas condiciones que no se amoldaban a sus rutinas de cirujano. Así, en un momento dado prefirió mudarse antes que alterar las características originales de la obra del maestro que veneraba; en la entrevista que le hizo en su humilde casa de Lobería, el arquitecto Daniel Casoy* subrayó que, mientras el ya anciano médico le narraba los problemas que debió enfrentar cuando vivía en la casa de La Plata, sobre la pared de la habitación donde se desarrollaba el diálogo se veía la fotografía del autor del proyecto, su respetado Le Corbusier, a quien curiosamente nunca alcanzó a ver en su vida.

The Curutchet Paradox

The sequence begins, and I think it is worth noting that it be this way, with the house Le Corbusier designed for Doctor Pedro Domingo Curutchet, in La Plata City, Argentina. It is a case worth analyzing and debating.

The master's design shows his dexterity to solve the requirements (which his client expressed in a long letter) within a very small lot, and between party walls, which had not been a common situation in the cases encountered by Le Corbusier in previous designs throughout his career.

The strange paradox this house presents is that its owner, a successful surgeon with a cultural background, could not enjoy it, and eventually abandoned it and went to live in the interior of the province, in a humble home and far away from the building that had brought him so much anguish during many years, if you add the time it took to build and the few years the Curutchet family lived in it.

Because of his eagerness to respect strictly the features of the original project, Doctor Curutchet submitted to some conditions that did not fall in line with his activity as a surgeon. That is why at a specific moment he chose to move rather than alter the original characteristics of the work done by the master he revered. During an interview which took place in his humble house in Lobería, (a small provincial town, in the Province of Buenos Aires) architect Daniel Casoy* pointed out that while the surgeon, already advanced in age, was explaining the problems he had to face while living in La Plata, on the wall of the room where the interview was taking place there was a picture of Le Corbusier, creator of the

Un paisaje vital

La primera impresión que uno registra al viajar a lo largo de los treinta y siete proyectos que integran esta serie, es reconfortante. En efecto, tanto la variedad de enfoques como la creativa vitalidad de los diseñadores se conecta con la saludable predisposición de los propietarios para ingresar en una experiencia de modernidad confortable. Así, al puro deleite de habitar en un lugar adecuado y razonablemente confortable se añade la búsqueda de un lenguaje contemporáneo, en el que se ponen de relieve los valores de la luz y el espacio, las proporciones de una geometría de ritmos cambiantes y un valioso diálogo de interiores y exteriores.

Como ya dije hace un momento, la ubicación de la Casa Curutchet en el inicio es significativa en muchos sentidos. Uno de ellos se refiere a eso que en Argentina se califica como "arquitectura de partido", un rasgo que ha caracterizado a la producción de los arquitectos argentinos a lo largo de casi medio siglo y que los distingue incluso en el caso de quienes se desempeñan fuera de su país (César Pelli, Machado & Silvetti, Rafael Viñoly –uruguayo formado en la Argentina–, Emilio Ambasz, Mario Corea Aiello, por nombrar sólo algunos).

En esa línea de pensamiento se inscribe con nítida claridad el criterio proyectual de Lier y Tonconogy, cuyo lenguaje se basa en proposiciones de nítidas ideas rectoras, con juegos geométricos de notable equilibrio (lo que se revela en el bello contrafrente de la Casa Heckhausen) y en la intersección de volúmenes que alcanza acordes notables en la Casa en San Isidro, con una planta veteada por diagonales y transparencias.

project whom, curiously, he had never met in his life.

A vital landscape

The first impression one gets, after traveling through the thirty seven projects that belong to this series, is comforting. As a matter of fact, the variety of approaches, as well as the designers' vital creativity, is connected with the owners' willingness to participate in an experience of modern comfort. Besides the joy of living in an adequate place which is reasonably comfortable, one must add the search for a contemporary language, through which the value of light, space, the geometrical proportions of changing rhythms and a valuable dialogue between internal and external spaces are highlighted.

As I have just mentioned, the fact that the Curutchet House is placed at the beginning is important in many ways. One of them is referred to what in Argentina is known as architecture of concept ideas, a distinctive characteristic that has identified the Argentinean architects' production during almost half a century, even in the case of those who have worked abroad (César Pelli, Machado & Silvetti, Rafael Viñoly –a Uruguayan trained in Argentina– Emilio Ambasz and Mario Corea Aiello, to mention just a few).

Within this line of thought one can clearly identify the project criteria of Lier and Tonconogy, whose language is based on proposals with clear conceptual ideas, which play with incredibly balanced geometric designs (clearly evident in the beautiful rear facade of the Heckhausen House) and with

Aunque hay muchos ejemplos que se inscriben en la misma escala de valores, la Casa en el Country Club Newman, de los arquitectos Emilio Rivoira y Jorge Hampton, se estructura a lo largo de un robusto muro que es el protagonista axial del partido adoptado.

Algo análogo, esta vez en un cruce de volúmenes que se enciman en dos niveles, se observa en la Casa en Talar de Pacheco, un proyecto del equipo de los arquitectos Lacroze-Miguens-Prati con Pablo Iglesias Molli.

Y aunque resulte obvio para los que están familiarizados con su modalidad proyectual, hay un modelo de transparencia en este esquema de partido, que tiene una clara muestra en la Casa de campo diseñada por Mario Roberto Alvarez y Asociados, en la que se advierte un raro maridaje entre la rigurosa arquitectura del decano del Movimiento Moderno en su país y el mobiliario adoptado por el propietario de la finca.

El fraseo geometrizante se revela con algunas variables en varios de los proyectos de esta serie. Es el caso de lo que llamé "la cuadratura del círculo" por la presencia de las dos figuras básicas en diversas variante de combinación. A las insinuaciones fragmentarias –que aparecen, por ejemplo, en la Casa sobre el río de Lier-Tonconogy– le siguen propuestas mucho más rotundas como la de Mariani-Pérez Maraviglia en la Casa en Mar del Plata, donde la retícula cuadrada (que es un ingrediente muy utilizado por estos creadores en su obra, estructurada con figuras geométricas simples) se involucra en una matriz envuelta por un gran círculo abarcador.

Otro dúo –el que forman los arquitectos

the intersection of volumes which reaches remarkable solutions in the House in San Isidro, with a floor plan scattered with diagonals and transparencies. Though there are many examples where one can find the same scale of values, the House in the Newman Country Club, designed by architects Emilio Rivoira and Jorge Hampton, is structured along a firm wall, which is the axial protagonist of the adopted idea.

An analogous situation, this time with an intersection of volumes that overlap on two levels, can be found in the *Talar de Pacheco House*, a project belonging to the team of architects Lacroze-Miguens-Prati with Pablo Iglesias Molli.

Though it may seem obvious to those who are familiar with their project styles, there is a model of transparency in this kind of arrangement that has a clear example in the country home designed by Mario Roberto Alvarez & Asociados, in which one notes a strange marriage between the strict architectural design done by the figurehead of the Modern Movement in his country, and the furniture used by the owner of the estate.

Geometrical phrasing is revealed, with some alternatives, in several of the projects in this series. Such is the case of what I called "the squaring of the circle" due to the presence of two basic figures, in different combinations. The fragmented insinuations —that appear for example, in Lier-Tonconogy's House by the river—, is followed by other proposals that are much bolder, such as Mariani-Pérez Maraviglia's House in Mar del Plata, where the square grid (which is an ingredient widely used by these creators in their work, structured with simple geometrical shapes) is involved

Mario Stabilito e Isacio González– se propuso aplicar el diálogo de prismas y cilindros en una vivienda entre medianeras que ocupa un angosto lote urbano, la Casa de la parra. Y los arquitectos chilenos Christian de Groote y Camila del Fierro recurren a un lenguaje de fuerte matriz cilíndrica en tres casas situadas en un terreno con pendiente en el entorno cordillerano de Santiago (Casa El Cóndor). Cristian Boza es un talentoso creador chileno que incursiona también en un dialecto que juega con la conversación de rectas y curvas. Hay que reconocer aquí que, si los argentinos somos galopadores de llanas praderas, los chilenos son jinetes de suelos empinados.

Así lo expresa otro grupo chileno, el de los arquitectos Cristian Undurraga, Ana Luisa Devés y Tania Ayoub, que utiliza un muro serpenteante de piedra como estructurador de una casa que tiene como fondo espectacular el perfil nevado de la cordillera (Casa del Alba). Por fin, otro ejemplo de feliz resolución de la plática entre cuadrilátero y círculo (esta vez corporizado en un espacio cónico) es el de la Casa en Praderas de Luján, diseñada por los arquitectos Oscar Christin y Oscar Landi.

A la manera de una nota aguda en una sonoridad coral, las creaciones que tienen como inspirador a Clorindo Testa (con Juan Fontana en la Casa en Martínez y con Eduardo Bompadre y Florencia Aguilar en la Casa en Areco) proponen un pulso distinto que tiene en la remodelación y ampliación de la casa situada en la barranca de Martínez, frente al río, una respuesta a la vez cautivante y no convencional. Resulta llamativa la fluidez desprejuiciada con la que Testa interviene en espacios de configuración ortodoxa, y la calidad plástica de los resultados que logra.

within a matrix contained by a great enveloping circle.

Another duo –composed by architects Mario Stabilito and Isacio González– decided to apply the dialogue of prisms and cylinders in a house between party walls that was set in a narrow urban lot, the *Casa de la parra* (House of the Vine). The Chilean architects Christian de Groote and Camila del Fierro resort to a style with a strong cylindrical matrix, in three houses located in a lot with a gradient, surrounded by the mountainous landscape of Santiago, (*Casa El Cóndor*). Cristian Boza is a talented Chilean creator, who also incurs in a dialect which plays with the dialogue of straight lines and curves. One has to bear in mind here, that whereas the Argentineans are riders of the great plains, the Chileans are, on the other hand, riders of steep ground.

This is expressed by another Chilean group, formed by architects Cristian Undurraga, Ana Luisa Devés and Tania Ayoub, who use a meandering stone wall as the structuring element of a house, against the background of the spectacular profile of the snow peaked Andes *(Casa del Alba)*. Another good example of how circles and squares can be combined (this time exemplified in a conical space) is the *Casa en Praderas de Luján*, designed by architects Oscar Christin and Oscar Landi.

In the manner of a high pitched note in a choral resonance, the creations inspired by Clorindo Testa (with Juan Fontana in the House in Martínez and with Eduardo Bompadre and Florencia Aguilar in the House in Areco) propose a different beat, which can be seen in the refurbishment and extension of the house located on the slopes facing the river, in Martínez, which has an appealing but unconventional look.

Otro ejemplo de invención espacial, que propone una consonancia armónica con el paisaje y una suma de sorpresas visuales es la Casa en el lago que proyectaron los arquitectos cordobeses Gramática-Guerrero-Morini-Pisani-Urtubey en Villa Carlos Paz, Córdoba, Argentina.

Asignatura pendiente

Este nuevo volumen plasmado por la editora que impulsan los Kliczkowski será sin duda alguna de gran valor para muchos profesionales y estudiantes del mundo entero. Sin embargo, en la aurora de un nuevo siglo y con el cuadro que presentan los países de América latina en una recurrente crisis económica y financiera, parece llegada la hora de preocuparse con énfasis en la resolución de la vivienda –individual y colectiva– para aquellos sectores que están lejos de acceder a esa conquista.

Estamos seguros de que todos los creadores que aquí se lucen con diseños para propietarios de clases altas o medias altas, pueden contribuir a resolver con la misma destreza y calidad la vivienda económica que proponga, para vastos estamentos sociales de muchas regiones del planeta, condiciones de vida gratificantes con pautas culturales diferentes y escalas de valores especiales.

Acaso sea éste el tema a encarar por el próximo tomo de la serie que con tanta jerarquía viene editando Kliczkowski Publisher.

* "Le Corbusier en La Plata: entrevista con el Dr. Curutchet", por Daniel Casoy (Arquitectura bis Nº 43, Barcelona, marzo 1983).

It is quite striking how Testa's unprejudiced fluency becomes part of the orthodox setup, and the artistic quality it achieves.

Another example of space invention that proposes a harmonic combination with the landscape and a sum of visual surprises, is the *Casa en el lago* (House on the lake) that was designed by architects Gramática-Guerrero-Morini-Pisani-Urtubey in Villa Carlos Paz, Córdoba, Argentina.

The pending issue

This new publication printed by Kliczkowski Publishers will be, beyond any doubt, very valuable to many professionals and students all over the world. Nonetheless, at the dawn of a new century and with the scenario which countries in Latin America are currently facing, under recurring economic and financial crises, it seems time to concern ourselves with solving the issue of housing, both individual and collective, for those who are far from reaching this goal.

We are sure that all the creators that are in this book, displaying their splendid designs for the rich and upper-middle classes can, with the same dexterity and quality, help solve the issue of low price housing that proposes, for the many social groups spread around the planet, gratifying standards of living with different cultural levels as well as special scales of value.

Perhaps this could be the subject to be approached, with the same high standards, in Kliczowski Publisher's next issue.

* "Le Corbusier in La Plata: interview with Dr. Curutchet", by Daniel Casoy (Arquitectura bis Nº 43, Barcelona, March 1983).

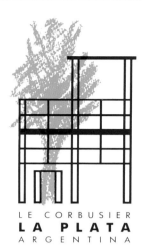

LE CORBUSIER
LA PLATA
ARGENTINA

CASA CURUTCHET

CURUTCHET HOUSE

ARQUITECTO / ARCHITECT:
LE CORBUSIER
UBICACION / LOCATION:
LA PLATA, PROVINCIA DE BUENOS AIRES, ARGENTINA
AÑO DEL PROYECTO / PROJECT DESIGN:
1948
AÑO DE CONSTRUCCION / PROJECT CONSTRUCTION:
1949 - 1953
OBRA DE REHABILITACION / REHABILITATION BUILDING:
1988
ARQUITECTOS / ARCHITECTS:
LUIS GROSSMAN, JULIO GROSSMAN

Una casa que es un discurso

Argentina –y más precisamente la ciudad de La Plata– es depositaria de un privilegio del que no puede ufanarse ningún otro país del continente. No hay, en efecto, casa alguna construida en América sobre un proyecto de Le Corbusier, más que ésa que puede verse en el 320 de la calle 53 de La Plata.

Esa casa, proyectada por el maestro suizo-francés en 1948, fue encargada por el cirujano Pedro Domingo Curutchet para instalar en ella su consultorio y su residencia particular. La ubicación es excepcional –frente al célebre bosque platense– pero el terreno era todo un desafío para el ingenio de quien se ocupara del diseño de la vivienda.

El terreno tiene apenas 9 m de ancho y 20 m de profundidad promedio (ya que el frente es irregular por tratarse de una cuadra curva de la calle 53). Los edificios contiguos, que se conservan hasta hoy intocados, son de baja altura: a la izquierda una construcción racionalista del arquitecto Kalnay y a la derecha un frente italianizante de rasgos típicos.

Curutchet era un hombre muy minucioso y envió al estudio de la Rue de Sévres fotos del frente y de las vistas futuras desde la casa. Además un programa de necesidades y sugerencias que ocupaba 15 carillas escritas a máquina.

Una vez aceptado el encargo, Le Corbusier tardó seis meses para concluir la documentación de la obra. Al promediar ese plazo requirió información adicional acerca de los edificios linderos, un dato revelador para quienes podrían suponer que subestimaría esas referencias

A house which is an essay

Argentina –and more precisely the city of La Plata– has a privilege which no other country in the continent can claim its own. There is, in fact, no other house built in America with a design by Le Corbusier other than this one which can be seen at No. 320 of 53rd. Street in La Plata.

This house, designed by the Swiss-French master in 1948, was commissioned by the surgeon Pedro Domingo Curutchet to install within it his consulting room and private residence. The location is exceptional –in front of the famous La Plata woods– but the site was quite a challenge for whoever undertook the design of the house.

The site is only 29.54 f. wide and averages 65.64 f. long (the front boundary is irregular as it is a curved section of 53rd. street). The adjacent buildings, which remain untouched to this day, are of reduced height: on the left a rationalist construction by Architect Kalnay and on the right a typical facade in Italian style.

Curutchet was a very meticulous person and he sent to the studio on Rue de Sevres, photographs of the front and future views from the house. Additionally he sent a program of requirements and suggestions which occupied 15 type-written pages.

Once he had accepted the assignment, Le Corbusier took six months to complete the documentation for the project. During this period he requested additional information regarding the adjacent buildings, an enlightening fact for those who could presume that he would underestimate these references when inserting a new design within a context unknown to him.

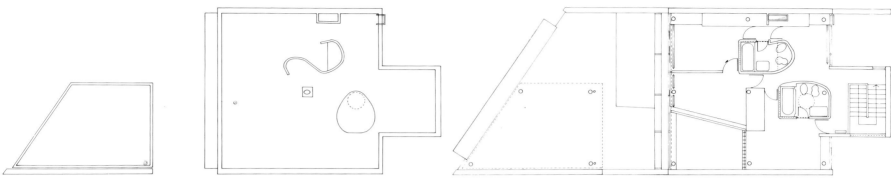

PLANTA TERRAZA / TERRACE FLOOR PLAN

PLANTA SEGUNDO PISO / THIRD FLOOR PLAN

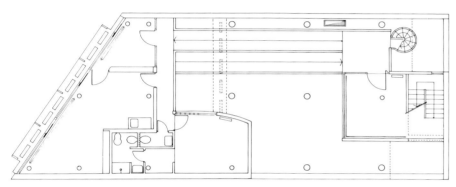

PLANTA ENTREPISO / MEZZANINE LEVEL

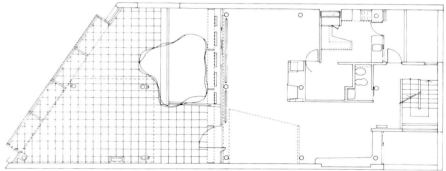

PLANTA PRIMER PISO / SECOND FLOOR PLAN

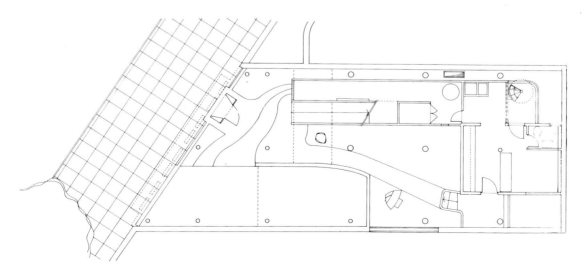

PLANTA BAJA / FIRST FLOOR PLAN

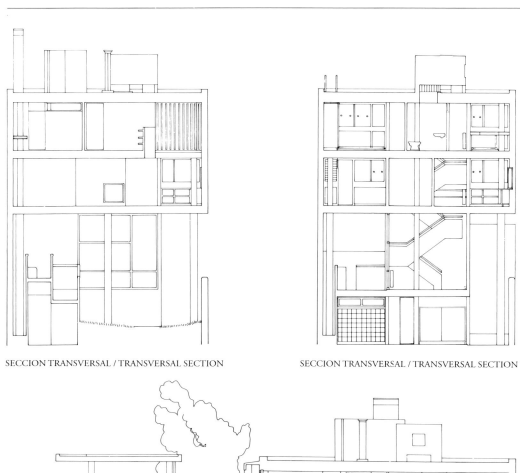

SECCION TRANSVERSAL / TRANSVERSAL SECTION

SECCION TRANSVERSAL / TRANSVERSAL SECTION

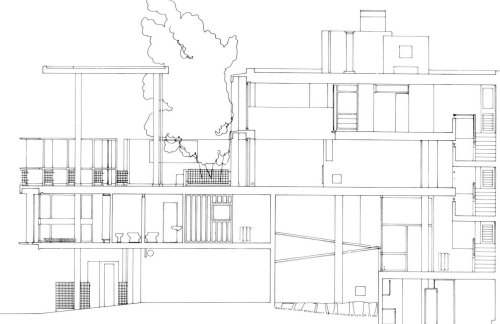

SECCION LONGITUDINAL / LONGITUDINAL SECTION

❏ para insertar la nueva obra en un contorno desconocido para él.

La casa Curutchet tiene todos los rasgos emblemáticos del repertorio expresivo de su autor (*brise-soleil, promenade architectural,* planos de vidrios, planta libre, pilotis, terraza-jardín), todo eso singularizado por su ubicación entre medianeras.

Se trata, pues, de un ejemplo excepcional en el contexto de la obra lecorbusierana.

❏❏ The Curutchet house possesses all the emblematic features of its author's expressive repertoire (brise-soleil, architectural promenade, glazed planes, open plan, pilotis, roof-garden), all these made conspicuous by its location between party walls.

It is, therefore, an exceptional example within the context of the work of Le Corbusier.

CASA DE CAMPO

COUNTRY HOME

ARQUITECTOS / ARCHITECTS:
MARIO ROBERTO ALVAREZ Y ASOCIADOS
FOTOGRAFIAS / PHOTOGRAPHIES:
LUIS ABREGU
UBICACION / LOCATION:
CLUB DE CAMPO ARMENIO, PROVINCIA DE BUENOS AIRES, ARGENTINA
AREA DEL TERRENO / LOT AREA:
3.490 m² / 37,308 S.F.
AREA DEL PROYECTO / BUILDING AREA:
660 m² / 7,055 S.F.
AÑO DEL PROYECTO / PROJECT DESIGN:
1993

Con la intención de obtener la mínima ocupación del terreno surge el volumen de dos plantas, así el paisaje circundante toma carácter protagónico. Es que este *country* posee una cancha de golf rodeada de lotes de grandes dimensiones, y un camino perimetral que los comunica de tal manera que todos los terrenos, sin excepción, son "frentistas". Se suma a ello una magnífica arboleda y un esmerado mantenimiento del campo.

La casa se propuso como un todo funcional. Una planta en forma de "H" curva con un patio central que se repite en las plantas baja y alta, permite una llegada de luz y vegetación con visuales hacia todos los lados.

Desde un porch se accede al hall, con amplios ventanales hacia ese patio-jardín, y de allí se comunican el estar-comedor, una habitación en suite de huésped y una escalera que lleva a los dormitorios de la planta alta.

Por otra parte, el estar-comedor posee una galería que mira al parque y a la cancha de golf, mientras un local contiguo oficia de quincho o *family room*. El sector restante es el de servicio con un garaje para dos autos y un depósito lateral.

La planta alta posee un amplio hall iluminado por el patio-jardín; el dormitorio principal se divide en dos sectores unidos por un gran local sanitario, donde las aberturas laterales que miran hacia el campo y las cenitales, inundan de luz a todo el sector, y desde donde se accede a una gran terraza. Los otros dormitorios, también con sus vistas panorámicas cumplen con las pautas del proyecto: poseen aventanamientos completos de piso a cielorraso y de pared a pared. Las transparencias y visuales fueron logradas y desde el jardín se accede a una amplia piscina.

With the intention of ensuring the minimum occupation of the site, a two level building is proposed, giving a protagonistic character to the surrounding landscape. The fact is that this "Country Club" has a golf course surrounded by large sites, and a perimeter road which connects them in such a way that all the sites, without exception, are "frontage sites". In addition to this there is the magnificent woods and the meticulous maintenance of the countryside.

The house was proposed as a functional whole. A floor plan in the shape of a curved "H" with a central court which is repeated on the lower and upper levels, allows the light and landscape to enter with views to all sides.

From a porch one enters the hall, with wide windows towards the garden-courtyard, and from there connects to the living-dining room, an en-suite guest room and a staircase which leads to the bedrooms on the upper level.

On the other hand, the living-dining room has an open gallery which overlooks the park and the golf course, while an adjacent room is used as family room or outside eating area. The remaining areas are service areas with a two-car garage and storage on the side.

The upper level possesses a large hall lit by the garden-courtyard; the main bedroom is divided into two areas joined by a large bathroom. The side openings overlook the countryside, the skylights flood the whole area with light, and from here there is access to a large terrace. The other bedrooms, also with panoramic views, fit in with the guiding principles of the project: they have floor to ceiling and wall to wall windows. The transparency and views have been achieved and from the garden there is access to a large swimming pool.

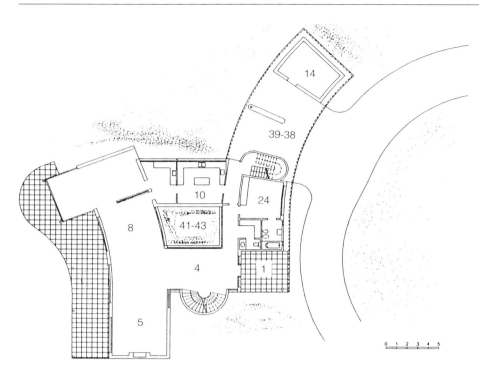

PLANTA BAJA / FIRST FLOOR PLAN

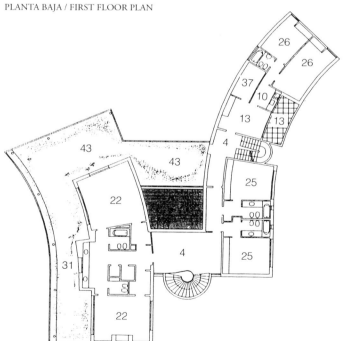

PLANTA ALTA / SECOND FLOOR PLAN

Referencias

1- Acceso
4- Hall-Recepción
5- Estar-Salón
8- Comedor
10- Cocina
13- Lavadero-Tendedero-Plancha
14- Depósito-Trastero
22- Dormitorio principal
24- Dormitorio de huéspedes
25- Dormitorio
26- Dormitorio de servicio
31- Terraza
37- Sala de máquinas
38- Garaje-Cochera
39- Galería
41- Patio
43- Jardín

References

1- *Entry*
4- *Hall-Reception room*
5- *Living room-Salon*
8- *Dining room*
10- *Kitchen*
13- *Laundry-Hanger-Ironing*
14- *Store-Lumberroom*
22- *Main bedroom*
24- *Guest room*
25- *Bedroom*
26- *Service bedroom*
31- *Terrace*
37- *Machine room*
38- *Garage-Carriage house*
39- *Gallery*
41- *Courtyard*
43- *Garden*

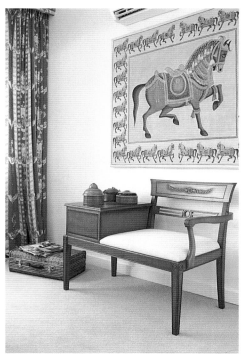

Casa entre medianeras

Esta casa fue pensada para un matrimonio que vive sin sus hijos, implantada en un lote entre medianeras, angosto, con el frente orientado al sudoeste: una casa urbana en función de patios que se integran como lugares de uso, a los ambientes principales.

El único espacio-estar rectangular, con cocina abierta, guarda de auto integrado, tabiques bajos de lavadero y despensa, se relaciona con el mismo baldosón cerámico, usado para toda la casa; un volumen conteniendo dormitorios y baños al frente, se incrusta definiendo y separando los accesos de personas y vehículos.

La estructura de la cubierta se resolvió con premoldeados cerbelú apoyados en los muros medianeros.

Respondiendo a las necesidades del usuario, se utilizó el fondo del terreno, adaptando sectores construidos existentes para configurar un taller de pintura, que se relaciona con la casa a través del patio.

CASA EN COLEGIALES

HOUSE IN COLEGIALES

ARQUITECTOS / ARCHITECTS:
**RICARDO BENADON, CARLOS BERDICHEVSKY, RUBEN CHERNY
ORIBE CARDOSO**
FOTOGRAFIAS / PHOTOGRAPHIES:
LUIS ABREGU
UBICACION / LOCATION:
COLEGIALES, BUENOS AIRES, ARGENTINA
AREA DEL PROYECTO / BUILDING AREA:
300 m² / 3,207 S.F.
AÑO DE CONSTRUCCION / PROJECT CONSTRUCTION:
1994

House between party walls

This house was conceived for a couple who live without their children, and set in a narrow site between party walls, with the front facing Southwest: an urban home built around courtyards which are incorporated as usable areas into the main functions.

The single rectangular living-space, with open kitchen, integral car-port, low partitions forming the laundry room and pantry, is related by the same ceramic tile flooring used for the whole house. At the front a volume containing bedrooms and bathrooms is inserted establishing and separating the entrances for people and vehicles.

The structure of the roof was resolved with *cerbelu* precast elements supported on the party walls.

Responding to the clients' requirements, the rear portion of the site was used, adapting sections of existing buildings to form a painters' studio, which relates to the house through the courtyard.

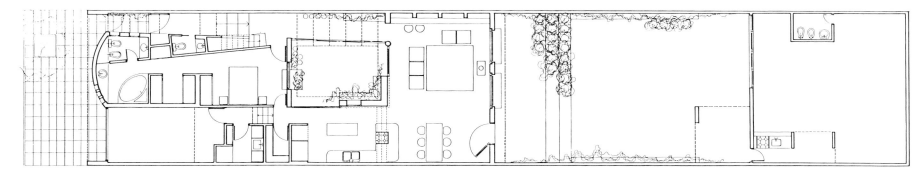

PLANTA BAJA / FIRST FLOOR PLAN

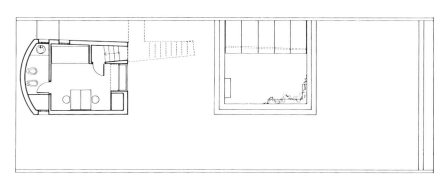

PLANTA ALTA / SECOND FLOOR PLAN

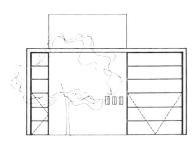

ALZADO / ELEVATION

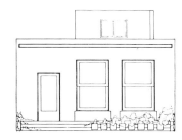

ALZADO / ELEVATION

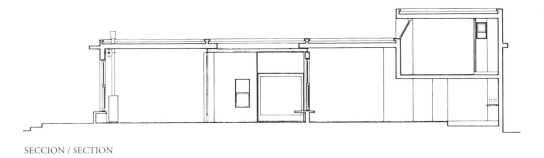

SECCION / SECTION

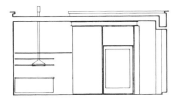

SECCION / SECTION

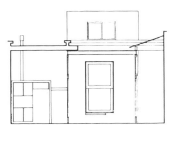

SECCION / SECTION

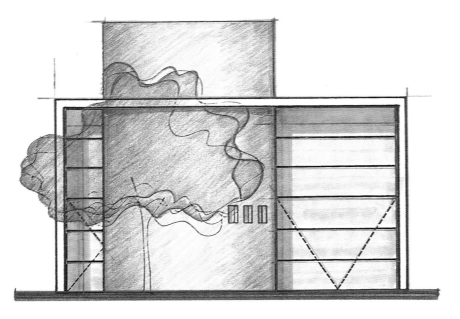

CASA EN MARTINEZ

HOUSE IN MARTINEZ

ARQUITECTO / ARCHITECT:
CLORINDO TESTA
COLABORADOR / COLLABORATOR:
JUAN FONTANA, ARQUITECTO / ARCHITECT
FOTOGRAFIAS / PHOTOGRAPHIES:
DANIELA MC ADDEN, ARQUITECTA / ARCHITECT
UBICACION / LOCATION:
MARTINEZ, PROVINCIA DE BUENOS AIRES, ARGENTINA
AREA DEL TERRENO / LOT AREA:
8.000 m² / 85,520 S.F.
AREA DEL PROYECTO / BUILDING AREA:
1.200 m² / 12,828 S.F.
AÑO DEL PROYECTO / PROJECT DESIGN:
1992
AÑO DE CONSTRUCCION / PROJECT CONSTRUCTION:
1993 - 1994

La barranca y el río

Una casa construida en los años 20, bien conservada en un estilo "*Early Nothing*", es el punto de partida para la remodelación y ampliación de una vivienda en la Barranca de Martínez, frente al río.

La idea primera es el respeto por la construcción existente, generando una nueva propuesta donde conviven dos tiempos, dos estilos, dos arquitecturas opuestas.

Lo existente fue modificado internamente a partir de desarmar lo compartimentado creando amplios y confortables espacios.

Los nuevos volúmenes que se conectan a la casa permiten una clara lectura a partir de un lenguaje totalmente diferente, mientras que en lo constructivo las buñas marcan la separación. Cada volumen marca distintas funciones, viéndose acentuados por la utilización de diferentes colores, respetando así mismo el tono original de la casa.

Son variados los elementos puntuales con que cuenta este proyecto, algunos de ellos plasmados a modo de escultura: una piscina en la barranca, un árbol de hormigón, una terraza, una escalera exterior a la terraza, entre otros, marcando el rescate del río, priorizando las visuales. Desde el acceso, es necesario entrar en la casa para vincularse con el paisaje, siendo la terraza uno de los mejores lugares para disfrutar el entorno.

The slope and the river

A house built in the 20's, well preserved in "Early Nothing" style, is the starting point for the refurbishment and extension of a home on the Slopes of Martinez, facing the river.

The first idea is the respect for the existing construction, generating a new proposal where two periods, two styles, two opposite architectures live together.

The existing house was modified internally by removing the compartments creating wide, comfortable spaces.

The new volumes which are linked to the house are clearly legible, as a totally different language is used, whilst the separation is materialized in the construction by means of grooves or shadow lines. Each volume establishes different functions, highlighted by the use of different colors, at the same time respecting the original color of the house.

There are a variety of special features included in this project, some of these incorporated in a sculptural manner: a swimming pool on the slope, a concrete tree, a terrace, an external stair upto the terrace, among others, highlighting the recovery of the river as a central element, giving priority to the views. From the entrance, it is necessary to go into the house to connect oneself with the landscape, the terrace being one of the best places from which to enjoy the surroundings.

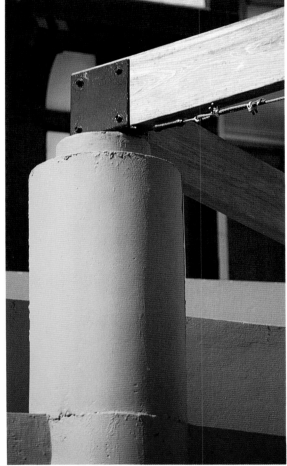

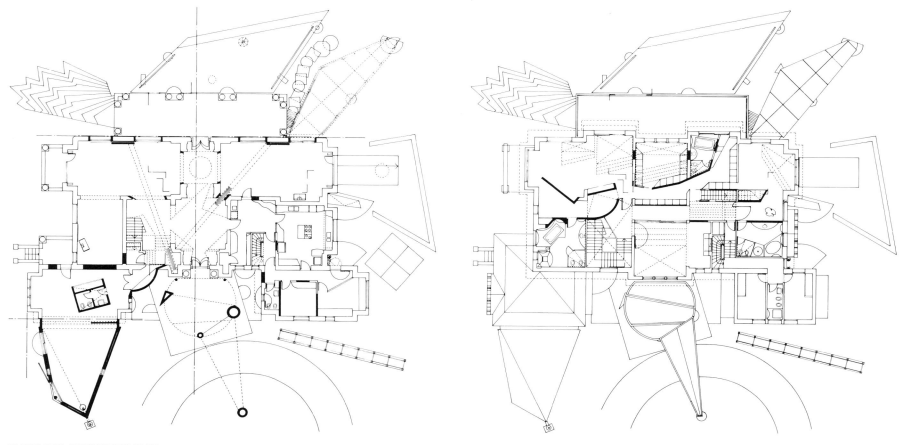

PLANTA BAJA / FIRST FLOOR PLAN

PLANTA ALTA / SECOND FLOOR PLAN

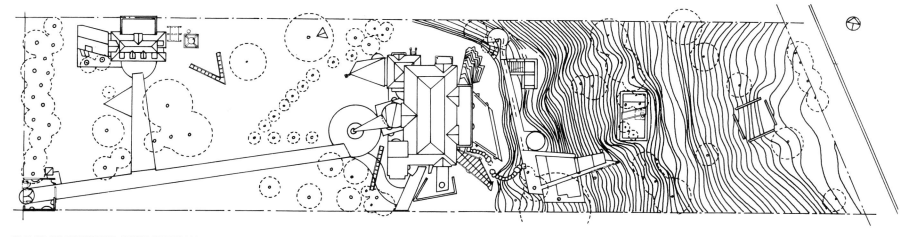

PLANTA DE CONJUNTO / ENSEMBLE PLAN

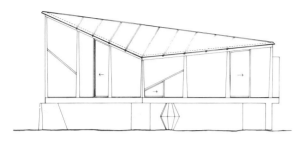

ALZADO NORESTE / NORTHEAST ELEVATION

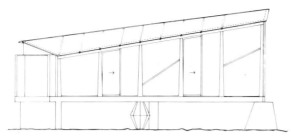

ALZADO SURESTE / SOUTHEAST ELEVATION

SECCION / SECTION

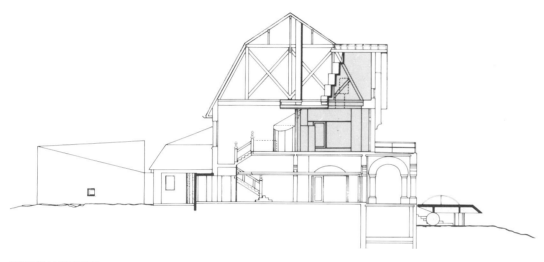

SECCION / SECTION

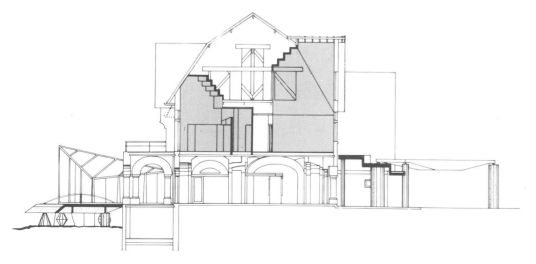

SECCION / SECTION

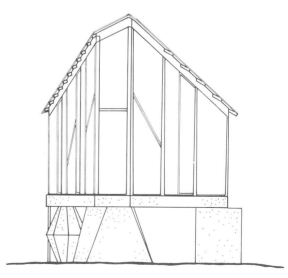

ALZADO SUROESTE / SOUTHWEST ELEVATION

El proyecto incursiona en una casa de campo ubicada en los alrededores de San Antonio de Areco.

La propuesta parte de un volumen central que alberga la sala de estar y comedor diario resuelto en un espacio único. Hacia este volumen convergen por separado tres alas –dos con funciones de dormitorios y la tercera de servicios– y un espacio semi-cubierto (patio pompeyano), que oficia de acceso principal. Vinculado a la cocina, pero separado del cuerpo de la casa se ubica el garaje para dos vehículos.

Un protagonismo particular es el que tiene el techo de la sala de estar –losa de hormigón–, ya que oficia de terraza o mirador. El acceso a la misma se realiza mediante una escalera helicoidal metálica desde la sala de estar o bien desde el patio interior por medio de una escalera recta de hormigón armado.

Sobre la terraza y a modo de sombrilla se proyectó un techo a cuatro aguas, resuelto con dos cabriadas metálicas que apoyan en cuatro columnas de hormigón y mediante otras cuatro columnas de hierro.

CASA EN ARECO

HOUSE IN ARECO

ARQUITECTO / ARCHITECT:
CLORINDO TESTA
COLABORADORES / COLLABORATORS:
EDUARDO BOMPADRE, FLORENCIA AGUILAR
UBICACION / LOCATION:
SAN ANTONIO DE ARECO, PROVINCIA DE BUENOS AIRES, ARGENTINA
AREA DEL PROYECTO / BUILDING AREA:
330 m² / 3,528 S.F.
AÑO DEL PROYECTO / PROJECT DESIGN:
1993

The project involves a country home located in the area around San Antonio de Areco.

The proposal is based on a central volume which houses the living room and breakfast room resolved within the one space. Three wings converge separately towards this volume –two containing bedrooms and the third with service areas– as well as a semi-enclosed space (Pompeian courtyard), which acts as the main entrance. Linked to the kitchen, but separated from the body of the house, we find the garage for two cars.

The roof of the living room –a concrete slab– is particularly protagonistic, as it doubles as a terrace or lookout. The access to the latter is by means of a metal spiral staircase from the living room or from the internal courtyard by means of a straight concrete stair.

Above the terrace and in the manner of a sunshade, a four slope roof was designed, resolved with two metal trusses supported on four concrete columns and four metal columns.

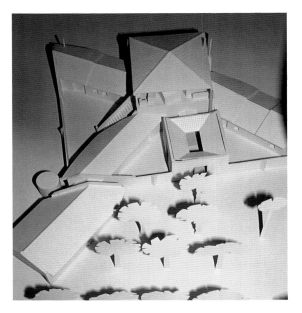

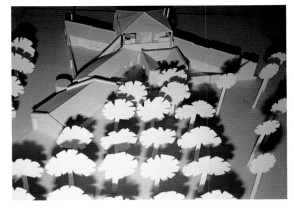

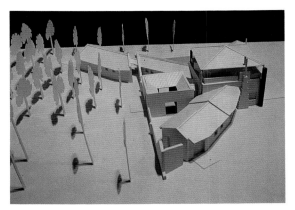

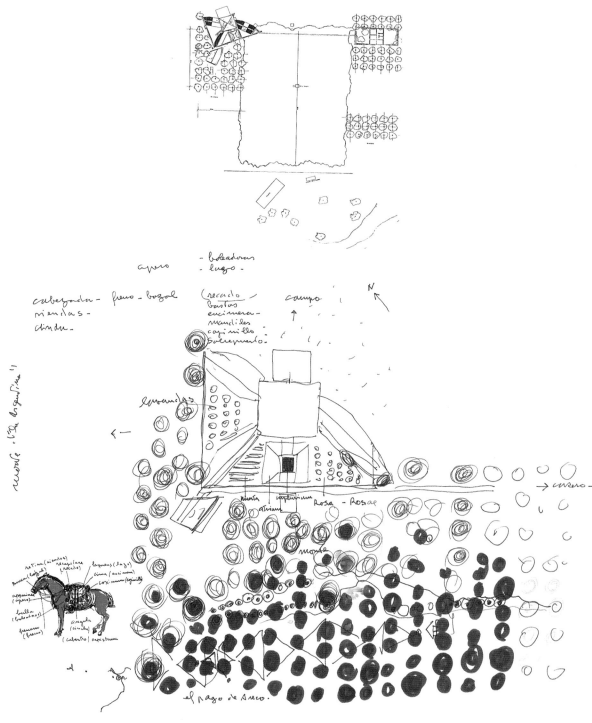

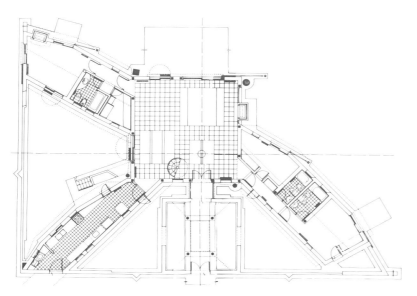

PLANTA BAJA / FIRST FLOOR PLAN

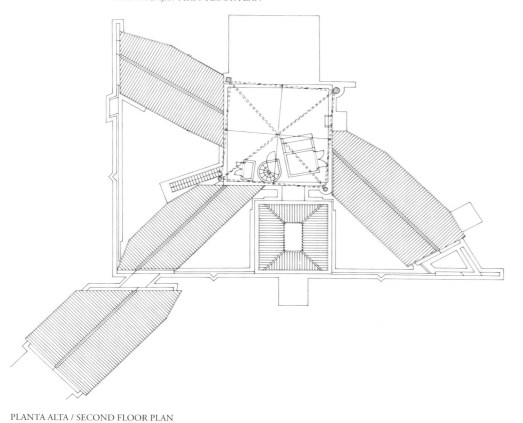

PLANTA ALTA / SECOND FLOOR PLAN

ALZADO NORTE / NORTH ELEVATION

ALZADO SUR / SOUTH ELEVATION

ALZADO ESTE / EAST ELEVATION

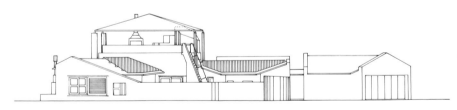

ALZADO OESTE / WEST ELEVATION

SECCION / SECTION

SECCION / SECTION

Esta casa se resolvió en el fondo de un lote de propiedad horizontal, con un espacio libre de 9 x 9 m. A partir de esta base se genera una estructura cúbica de 9 m de lado, donde se desarrollan las funciones de la vivienda.

La idea propuso dividir el volumen en dos: el primero es un medio cubo vacío para la expansión del jardín, la otra mitad de 9 x 4,50 m consta de tres niveles. Así mismo, la planta baja es libre y conserva la geometría de las medianeras y alberga el estar-comedor, cocina y servicios. El primer nivel, también es libre y se desarrolla el dormitorio y escritorio. El altillo –espacio de juegos– pertenece en su estructura a la cubierta.

Es decir, se propone recomponer el cubo con las paredes interiores de la casa y exteriores del jardín, generando un único espacio.

Para esta propuesta se utilizaron materiales a la vista, poniendo especial énfasis en la utilización de colores vivos, que fragmentan el sistema cúbico.

Una solución de máxima espacialidad para un lote de mínimas dimensiones.

CASA 9 x 9

9 x 9 HOUSE

ARQUITECTOS / ARCHITECTS:
ELISA COHEN, IGNACIO LOPATIN
COLABORADORES / COLLABORATORS:
DIEGO LOPATIN, SILVINA PROCUPEZ
FOTOGRAFIAS / PHOTOGRAPHIES:
SOL LOPATIN
UBICACION / LOCATION:
BUENOS AIRES, ARGENTINA
AREA DEL PROYECTO / BUILDING AREA:
102 m² / 1,090 S.F.
AÑO DE CONSTRUCCION / PROJECT CONSTRUCTION:
1994

This house was resolved in the rear section of a plot of land, with a free area of 9 x 9 meters (29.54 x 29.54 f.). On this basis a cubic structure was generated, 29.54 f. per side, within which the functions of the house are developed.

This idea proposed the division of the volume in two parts: the first is an empty half-cube for the garden expansion, the other 29.54 x 14.77 f. section consisting of three floor levels. Also, the first floor is open plan and conserves the geometry of the party walls, housing the living-dining room, kitchen and services. The second floor is also open and contains the bedroom and study. The attic –play area– belongs structurally to the roof.

That is to say, the proposal is to reconstruct the cube with the internal walls of the house and the external ones of the garden, generating one unique space.

For this proposal exposed materials were used, placing special emphasis on the use of bright colors, which break up the cubic system.

A solution of maximum spatial quality for a site of minimum dimensions.

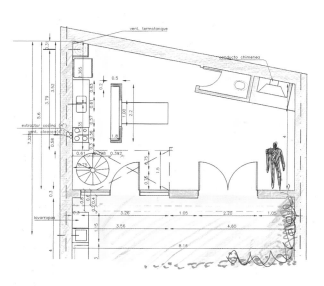

PLANTA BAJA / FIRST FLOOR PLAN

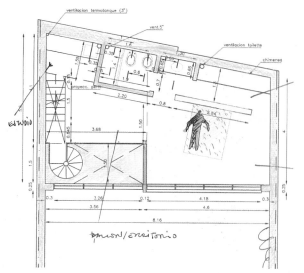

PLANTA ALTA / SECOND FLOOR PLAN

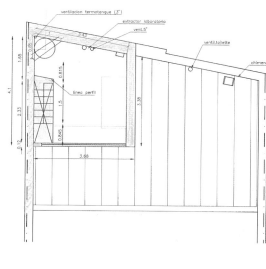

PLANTA ALTILLO / ATTIC PLAN

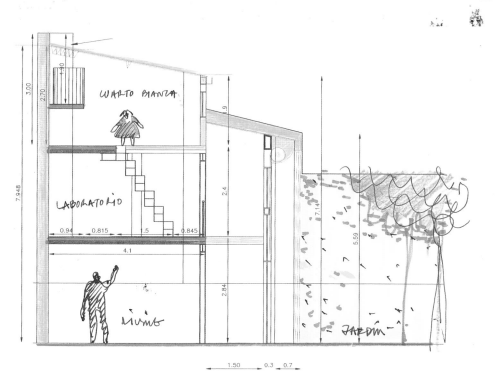

SECCION / SECTION

ALZADO / ELEVATION

CASA EN SAN ISIDRO

HOUSE IN SAN ISIDRO

ARQUITECTOS / ARCHITECTS:
RAUL LIER, ALBERTO TONCONOGY
COLABORADORA / COLLABORATOR:
ANA BUSCH
FOTOGRAFIAS / PHOTOGRAPHIES:
ROBERTO RIVERTI
UBICACION / LOCATION:
SAN ISIDRO, PROVINCIA DE BUENOS AIRES, ARGENTINA
AREA DEL TERRENO / LOT AREA:
12.000 m² / 128,280 S.F.
AREA DEL PROYECTO / BUILDING AREA:
1.500 m² / 16,035 S.F.
AÑO DEL PROYECTO / PROJECT DESIGN:
1993

Un amplio terreno en las barrancas de San Isidro, generó un proyecto interesante, para una residencia de generosa superficie y un programa complejo.

Se plantea la intencionalidad de resolver el problema de una calle bulliciosa y utilizar el terreno como un gran parque trabajado y vivible, diferenciándose de las soluciones habituales de una construcción paralela al río que generalmente orienta la fachada mayor hacia la orilla.

La propuesta consta de tres sectores: el primero es un volumen alargado y opaco revestido en piedra, estableciendo una separación visual y sonora con la calle; allí se ubican piscina, servicios, garaje, entre otros. El segundo sector se presenta con una forma libre y vidriada para las zonas de recepción y dormitorio principal que contrasta con la caja opaca y permite una amplia visión sobre el terreno. Estos dos volúmenes están compuestos en relación a un antiguo árbol de 30 m de diámetro.

Por último en el subsuelo destinado a la recreación, con el frente al río y a las terrazas, se dispone de un amplio perímetro de visuales; los usos de esparcimiento tienen acceso y salida totalmente independientes del resto de la casa.

A large site on the slopes of San Isidro generated an interesting project for a residence of generous size and complex program.

It establishes the intention of resolving the problem of a noisy street and of using the site as a large, workable and livable park, in a different manner from the usual solution of a building parallel to the river with the widest facade generally facing the shore.

The proposal consists of three sections: the first is a long opaque volume clad in stone, establishing a visual and sound separation from the street; here we find the swimming pool, services and garage, among other uses. The second section is presented in a free, glazed shape for the reception and main bedroom areas which contrasts with the opaque box and allows a wide view across the site. The composition of these two volumes is related to an ancient tree with a diameter of 98.46 f.

Finally, in the basement, the recreation area, with frontage towards the river and the terraces, ensures a wide perimeter of views. The entrance and egress for these leisure areas are totally independent from the rest of the house.

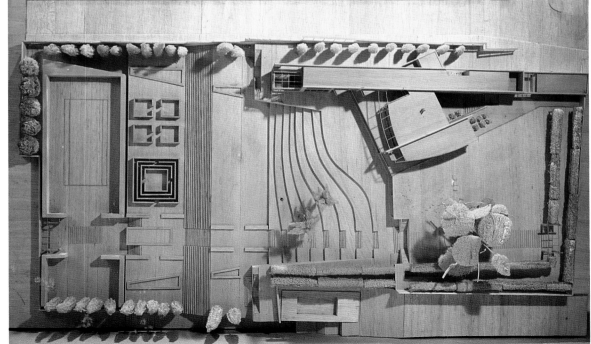

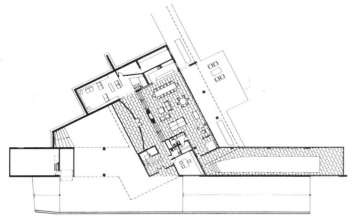

PLANTA ACCESO / ENTRY PLAN

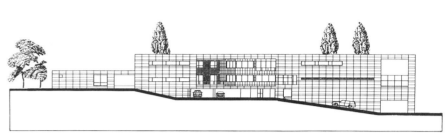

ALZADO / ELEVATION

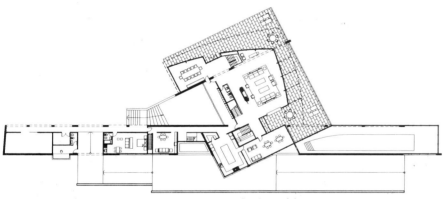

PLANTA ESTAR / LIVINGROON PLAN

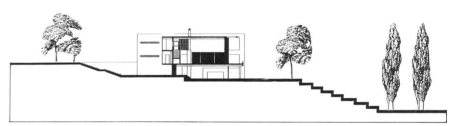

SECCION TRANSVERSAL / TRANSVERSAL SECTION

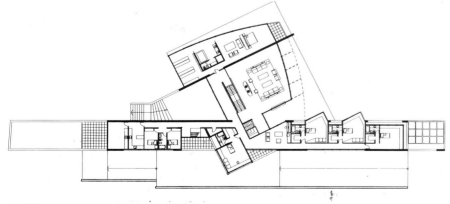

PLANTA DORMITORIOS / BEDROOMS PLAN

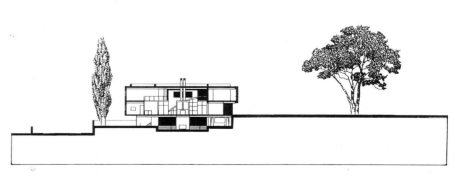

SECCION TRANSVERSAL / TRANSVERSAL SECTION

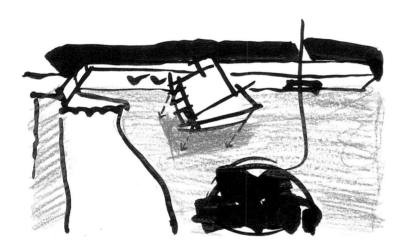

Residencia sobre el río

La geografía de este terreno, tanto en planta como en elevación, fue el determinante del proyecto, en un lote estrecho y alargado, con una interesante barranca y lindero a un gran parque.

Con una tipología que es básicamente la de una "casa chorizo" con patios alternados, la casa se apoya a todo lo largo de una construcción existente y se separa del parque lindero, provocando un camino de acceso lateral que vincula las partes, abriéndose a las mejores visuales, situación que culmina en el cuerpo este sobre el río, donde se encuentra el estar, dormitorio principal y cuarto de juegos, el cual remata en la terraza sobre la barranca.

Uno de los patios constituye el centro de gravedad de la casa, siendo un invernadero cuyo perímetro fue tratado como una fachada más. Dos tabiques de granito lo enmarcan y junto con un sistema de escaleras, le dan a este ámbito una suerte de escala medieval.

Se utilizaron materiales sencillos como el ladrillo y revoques, aunque sumamente trabajados. En el interior sólo conviven dos colores: el blanco y el ocre. Todas las carpinterías y cerramientos son blancos; el resto, como paredes, cielorrasos, revestimientos y pisos cerámicos son de color arena. Esta decisión le confiere unidad al conjunto, y ablanda la fuerte arquitectura.

En síntesis, la casa propiamente dicha, va jugando con su autoimpuesto límite, alejándose, tocando y atravesando el muro que la contiene.

CASA SOBRE EL RIO

HOUSE ON THE WATERFRONT

ARQUITECTOS / ARCHITECTS:
RAUL LIER, ALBERTO TONCONOGY
COLABORADORES / COLLABORATORS:
**EMILIO MENENDEZ, RUBEN LANDEIRA,
ARQUITECTOS / ARCHITECTS**
FOTOGRAFIAS / PHOTOGRAPHIES:
JUAN HITTERS
UBICACION / LOCATION:
MARTINEZ, PROVINCIA DE BUENOS AIRES, ARGENTINA
AREA DEL PROYECTO / BUILDING AREA:
750 m² / 8,018 S.F.
AÑO DEL PROYECTO / PROJECT DESIGN:
1994
AÑO DE CONSTRUCCION / PROJECT CONSTRUCTION:
1995

A residence on the river

The geography of this site, both on plan and in elevation, was the determining factor of the project, set within a narrow and long plot, with an interesting slope and adjacent to a great park.

The typology is basically that of a *"casa chorizo"* with alternating courtyards. The house leans along the full length of an existing building and is separated from the adjacent park, creating a side entrance path which connects the different sections, opening up the best views. This situation reaches its conclusion at the EAST wing onto the river, where we find the living room, main bedroom and playroom, expanding onto the terrace above the slope.

One of the courtyards becomes the center of gravity of the house, in the form of a greenhouse, the perimeter of which was treated like one more facade. Two granite partitions frame it and together with a group of staircases give this room a kind of mediaeval scale.

Simple materials were used, such as brickwork and stucco, although intensely detailed. Internally there are only two colors used: white and ochre. All the doors, windows and frames are white; the rest, such as walls, ceilings, finishes and ceramic flooring are sand color. This decision gives unity to the design and softens the strong architecture.

In summary, the house itself, plays with the self-imposed limit, moving away, touching and piercing through the wall which contains it.

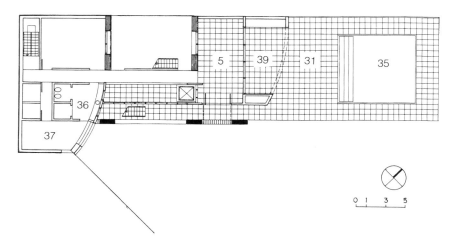

Referencias
4- Hall-Recepción
5- Estar-Salón
8- Comedor
10- Cocina
22- Dormitorio principal
25- Dormitorio
26- Dormitorio de servicio
31- Terraza
35- Piscina
36- Vestuario
37- Sala de máquinas
38- Garaje-Cochera
39- Galería
41- Patio

References
4- Hall-Reception room
5- Living room-Salon
8- Dining room
10- Kitchen
22- Main bethroom
25- Bedroom
26- Service bedroom
31- Terrace
35- Swimming pool
36- Changing room
37- Machine room
38- Garage-Carriage house
39- Gallery
41- Courtyard

PLANTA SUBSUELO / SUBSOIL PLAN

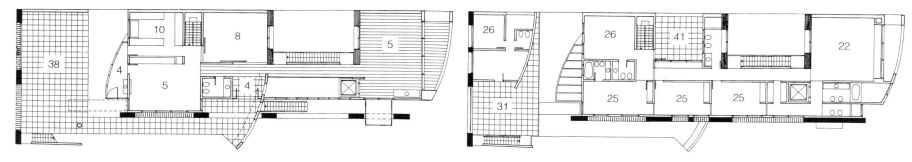

PLANTA BAJA / FIRST FLOOR PLAN

PLANTA ALTA / SECOND FLOOR PLAN

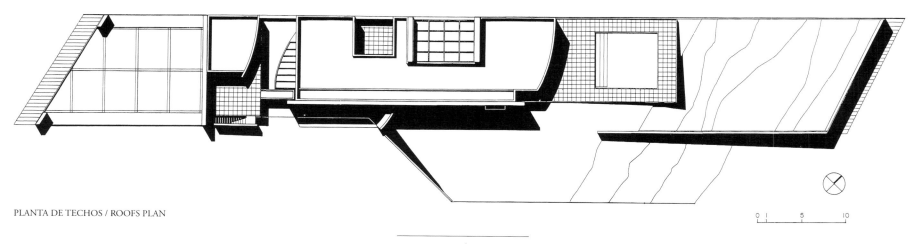

PLANTA DE TECHOS / ROOFS PLAN

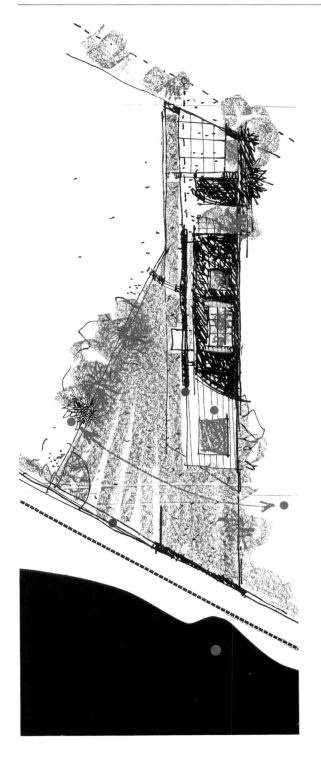

SECCION / SECTION

ALZADO SUROESTE / SOUTHWEST ELEVATION

ALZADO NORESTE / NORTHEAST ELEVATION

SECCION / SECTION

ALZADO SURESTE / SOUTHEAST ELEVATION

Casa de tres dormitorios y dependencia de servicio, que de acuerdo con el pedido de su propietario debería diseñarse dentro del estilo neoracionalista.

Para no molestarse mutuamente con los estilos vecinos (chalets de tejas y ladrillos), y a su vez responder a los deseos del comitente, se proyecta una casa blanca.

Con el fin de respetar el carácter de barrio, se envuelve parte de la misma con un muro de ladrillo visto en la fachada sobre la calle, donde se percibe más concretamente la secuencia de casas de este estilo.

Al ser una vivienda compacta de metraje reducido, se propuso un único tema aglutinador –el estar– hacia donde convergen todos los demás ambientes.

En el contrafrente, la fachada se desprende de la casa, provocando una galería que además atempera la compacidad del volumen.

Como existe dentro del partido arquitectónico un gran contraste entre los dos materiales adoptados –ladrillo-casa blanca– esta última trata de permanecer coherente y homogénea en sí misma.

CASA HECKHAUSEN

HECKHAUSEN HOUSE

ARQUITECTOS / ARCHITECTS:
LIER & TONCONOGY ARQUITECTOS / ARCHITECTS
COLABORADOR / COLLABORATOR:
RUBEN LANDEIRA, ARQUITECTO / ARCHITECT
FOTOGRAFIAS / PHOTOGRAPHIES:
JUAN HITTERS
UBICACION / LOCATION:
LOMAS DE SAN ISIDRO, BUENOS AIRES
AREA DEL PROYECTO / BUILDING AREA:
270 m² / 2,886 S.F.
AÑO DEL PROYECTO / PROJECT DESIGN:
1997
AÑO DE CONSTRUCCION / PROJECT CONSTRUCTION:
1998

A house with three bedrooms and service quarters, which the owner requested should be designed in neorationalist style.

In order to avoid clashing with the neighboring styles (brick and tiled roof chalets), and still respect the owner's wishes, a white house is designed.

In order to respect the character of the neighborhood, a part of the house was wrapped with an exposed brickwork wall, in particular along the street facade where there is a clearer perception of the sequence of brick houses.

As the house was small, of reduced square footage, only one central theme was proposed –the living room– onto which all the other rooms face.

At the rear, the facade comes away from the house, forming a gallery which also moderates the compact character of the volume.

As the architectural concept establishes a very strong contrast between the two materials used –brick/white house– the latter tries to remain coherent and homogeneous in itself.

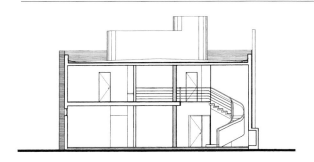

SECCION / SECTION

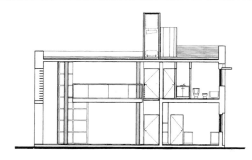

SECCION / SECTION

ALZADO FRENTE / FRONT ELEVATION

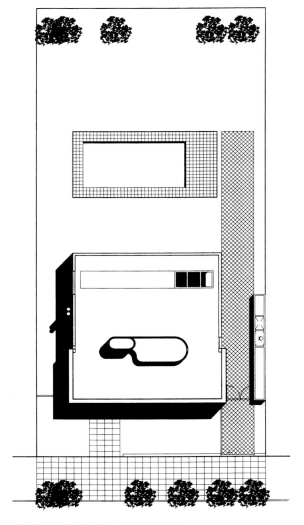

PLANTA DE CONJUNTO / ENSEMBLE PLAN

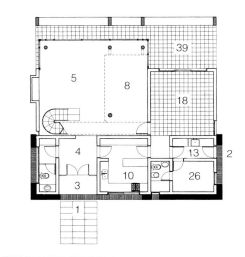

PLANTA BAJA / FIRST FLOOR PLAN

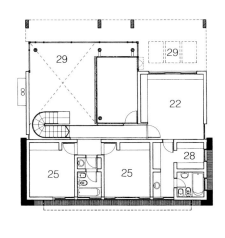

PLANTA PRIMER PISO / SECOND FLOOR PLAN

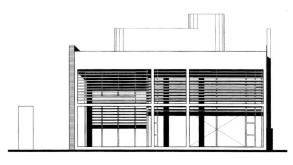

ALZADO CONTRAFRENTE / REAR ELEVATION

ALZADO NOROESTE / NORTH-WEST ELEVATION

Referencias: 1- Acceso. 2- Acceso de servicio. 3- Vestíbulo. 4- Hall-Recepción. 5- Estar-Salón. 8- Comedor. 10- Cocina. 13- Lavadero-Tendedero-Plancha. 18- Sala de juegos. 22- Dormitorio principal. 25- Dormitorio. 26- Dormitorio de servicio. 28- Vestidor. 29- Hueco - Vacío. 39- Galería.

References: *1- Entry. 2- Service access. 3- Hall. 4- Hall-Reception room. 5- Living room-Salon. 8- Dining room. 10- Kitchen. 13- Laundry-Hanger - Ironing. 18- Playroom. 22- Main bedroom. 25- Bedroom. 26- Service bedroom. 28- Dressing room. 29- Hollow-Void. 39- Gallery.*

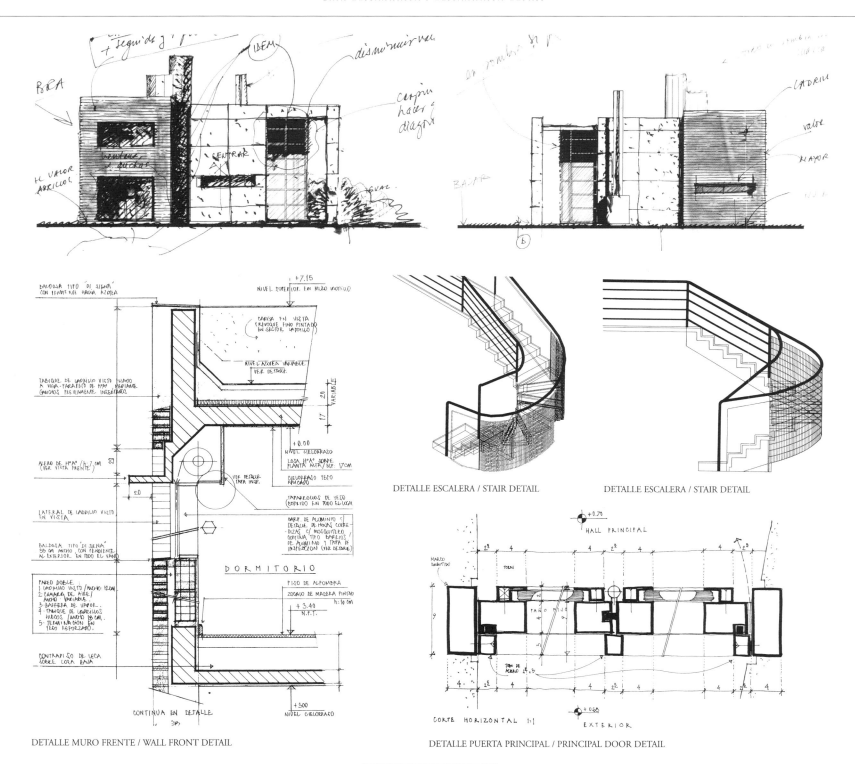

DETALLE MURO FRENTE / WALL FRONT DETAIL

DETALLE ESCALERA / STAIR DETAIL

DETALLE ESCALERA / STAIR DETAIL

DETALLE PUERTA PRINCIPAL / PRINCIPAL DOOR DETAIL

Una familia numerosa

Ubicada en un club privado, en un terreno bordeando el campo de golf, la casa fue pensada como vivienda de fin de semana para una familia numerosa.

El programa, poco flexible y con requerimientos muy estrictos, daba prioridad a dos temas funcionales: debía permitir que convivieran en forma independiente tres grupos familiares con sus propias áreas de estar, y a su vez las mismas debían poder integrarse en un solo ámbito funcional y espacial.

La apertura hacia el campo de golf de todos los ambientes de estar, fue también una premisa.

La complejidad funcional del planteo se resolvió dentro de la geometría de un volumen integrado por tres prismas iguales, de planta cuadrada y distintas alturas conectadas entre sí por dos conectores transversales, donde se ubican los accesos a la vivienda y las salidas al campo de golf y una galería longitudinal de hormigón visto que une los distintos volúmenes y prolonga hacia el exterior las salas de estar.

El rigor geométrico del planteo se mantiene en la solución de los llenos y vacíos de la fachada. Las ventanas, que responden a las necesidades de los ambientes, se encuadran con un trazado que se les superpone con un dibujo formado por la geometría de la pared que las incluye y las relaciona.

La calidez del ladrillo a la vista y de la teja colonial del techo, dan el color y la textura a la sobriedad del trazado.

CASA EN COUNTRY

HOUSE IN COUNTRY

ARQUITECTOS / ARCHITECTS:
MANTEOLA, SANCHEZ GOMEZ, SANTOS, SOLSONA, SALLABERRY, ASOCIADO / ASSOCIATE
COLABORADORA / COLLABORATOR:
ADRIANA SANMARTINO, ARQUITECTA / ARCHITECT
FOTOGRAFIAS / PHOTOGRAPHIES:
JUAN HITTERS
UBICACION/ LOCATION:
MAYLING CLUB DE CAMPO, PROVINCIA DE BUENOS AIRES, ARGENTINA
AREA DEL TERRENO / LOT AREA:
1.500 m² / 16,035 S.F.
AREA DEL PROYECTO / BUILDING AREA:
400 m² / 4,276 S.F.
AÑO DE CONSTRUCCION / PROJECT CONSTRUCTION:
1991

A large family

Located inside a private club, on a site bordering the golf course, the house was conceived as a week-end home for a large family.

The program, with little flexibility and very strict requirements, gave priority to two functional needs: it had to allow three family groups to live together each with their own living areas, and at the same time it must be possible for these to come together into a single functional and spatial environment.

The opening up of all the living areas towards the golf course was also a premise.

The functional complexity of the proposal was resolved within the geometry of a volume composed by three identical prisms, with square floor plans and different heights. These are connected to each other by two transversal connections, within which are located the entrances to the house and the egress towards the golf course, and a longitudinal exposed concrete gallery which links the different volumes and prolongs the living areas out towards the exterior.

The geometric rigor of the proposal is maintained in the organization of the openings of the facade. The windows, which respond to the requirements of each room, are contained within a grid which is superimposed over them with a drawing formed by the geometry of the wall which includes and relates them.

The warmth of the exposed brickwork and the Spanish roof tiles, add color and texture to the sober layout.

ALZADO / ELEVATION

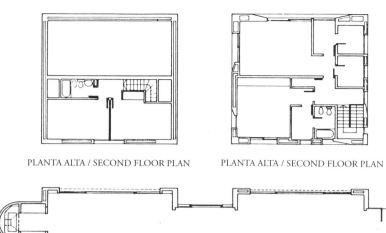

PLANTA ALTA / SECOND FLOOR PLAN   PLANTA ALTA / SECOND FLOOR PLAN

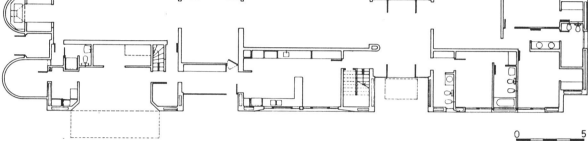

0   5

PLANTA BAJA / FIRST FLOOR PLAN

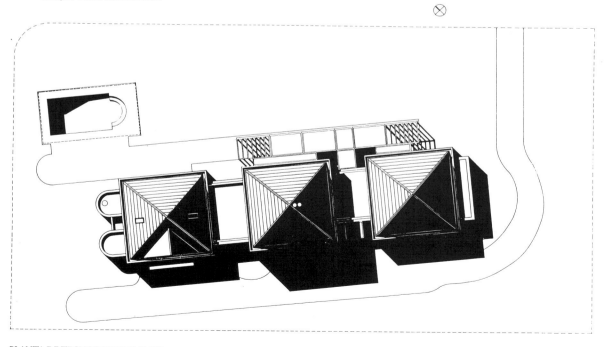

PLANTA DE TECHOS / ROOFS PLAN

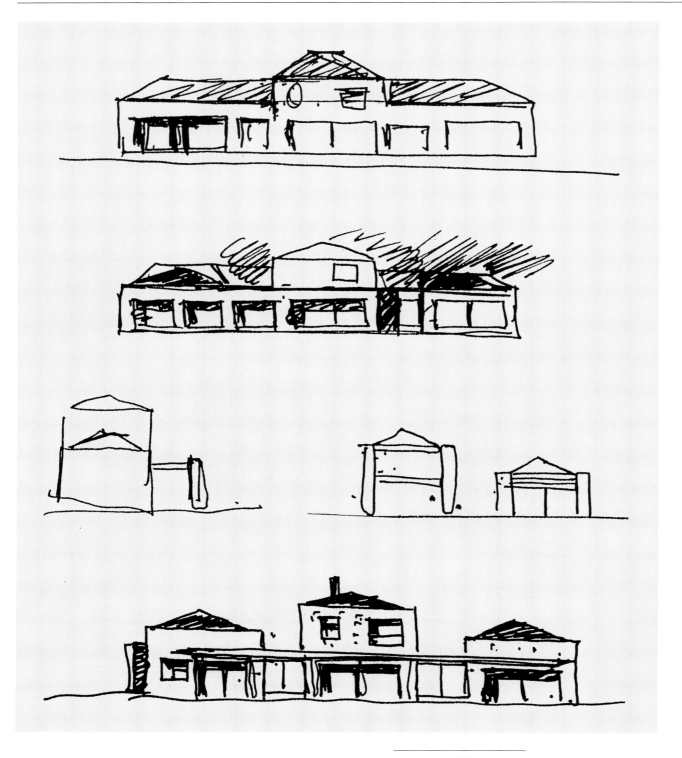

CASA EN PUNTA PIEDRAS

HOUSE IN PUNTA PIEDRAS

ARQUITECTOS/ ARCHITECTS:
MANTEOLA, SANCHEZ GOMEZ, SANTOS, SOLSONA, SALLABERRY, ASOCIADO / ASSOCIATE
COLABORADORES / COLLABORATORS:
MIKE MC CORMACK
UBICACION / LOCATION:
PUNTA DEL ESTE, URUGUAY
AREA DEL TERRENO / LOT AREA:
1.050 m² / 11,224 S.F.
AREA DEL PROYECTO / BUILDING AREA:
900 m² / 9,621 S.F.
AÑO DEL PROYECTO/ PROJECT DESIGN:
1992

Está ubicada frente al océano Atlántico, en una zona de arena, mar y rocas.

Una pared define su emplazamiento, envuelve la casa como una espalda de piedra. La pared es casa y también límite y expresa con su presencia hermética el carácter pétreo del lugar.

Como contrapartida y contradicción el frente al mar se abre al paisaje infinito del océano, se expone a las tempestades y a la naturaleza incontrolable.

La madera, la piedra y el aluminio son los materiales de la casa, la que busca en la síntesis de su arquitectura, oponer una geometría de paralelepípedos y líneas rectas a un paisaje de agua, sol y viento.

It is located facing the Atlantic Ocean, in an area of sand, sea and rocks.

A wall defines its location, wrapping around the house like a stone back. This wall is house and also limit and, with its hermetic presence, expresses the stone character of the place.

As counterpoint and contradiction, the frontage towards the sea opens up to the infinite landscape of the ocean, and exposes itself to the tempests and uncontrollable nature.

Wood, stone and aluminum are the materials of this house, which seeks in the synthesis of its architecture to oppose a geometry of prisms and straight lines to a landscape of water, wind and sun.

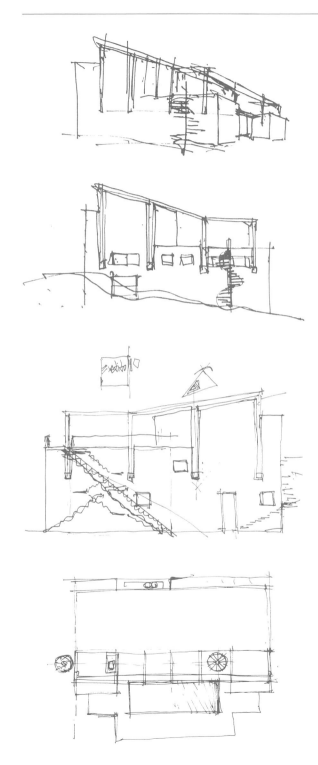

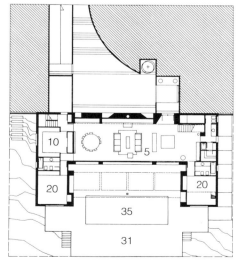

PLANTA BAJA / FIRST FLOOR PLAN

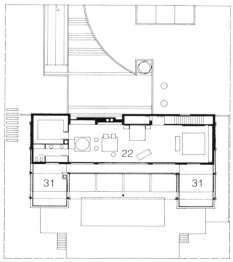

PLANTA ALTA / SECOND FLOOR PLAN

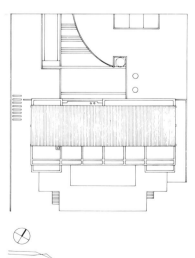

PLANTA DE CONJUNTO / ENSEMBLE PLAN

Referencias
5- Estar-Salón
10- Cocina
20- Baño
22- Dormitorio principal
31- Terraza
35- Piscina

References
5- Living room-Salon
10- Kitchen
20- Bathroom
22- Main bedroom
31- Terrace
35- Swimming pool

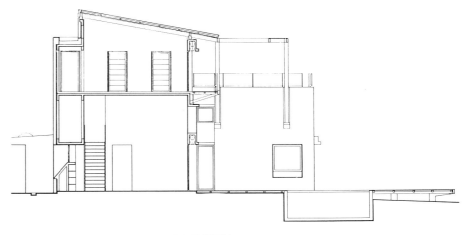

SECCION TRANSVERSAL / TRANSVERSAL SECTION

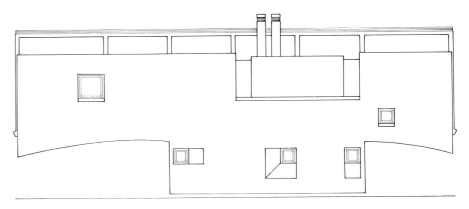

ALZADO CALLE / STREET ELEVATION

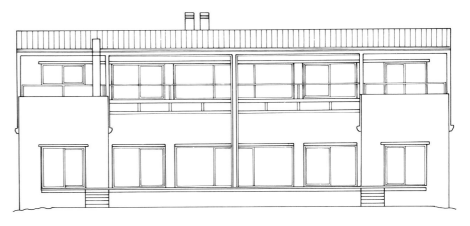

ALZADO CONTRAFRENTE / REAR ELEVATION

Con los valores del lugar

La obra forma parte de un proceso de cambio perfectivo de la estructura urbana consolidada en la ciudad de Mar del Plata.

La realidad de cada ciudad se va mejorando a partir de lo nuevo que cada generación produce, reforzando la identidad del lugar. La nueva vivienda reconoce el valor de lo existente, y con el uso de similares materiales propone actualizarlo, recreando la idea de "casa" con vigencia en la comunidad.

El respeto por la presencia de árboles añosos y un marcado desnivel del terreno, determinaron el planteo de la vivienda, con una fachada exterior al sur, caracterizada por el patio de acceso y una fachada interior configurada por un continuo de espacios de vida, abiertos a la galería, al jardín, al sol.

Los paramentos de ladrillo visto y de piedra, las carpinterías de madera —elementos característicos de las vivienda de la zona— son utilizados con un nuevo sentido, redefiniendo la relación entre arquitectura actual y los valores propios del lugar.

El concepto de orden y la austeridad en el lenguaje, fundamentos de la idea de partido, son propios de nuestra realidad, que requiere una arquitectura de costos controlados tanto en la construcción como en mantenimiento.

Evitar lo superfluo y lo anecdótico permite ir a lo esencial para lograr formas que hagan comprensibles las ideas.

CASA EN MAR DEL PLATA

HOUSE IN MAR DEL PLATA

ARQUITECTOS / ARCHITECTS:
MARIANI, PEREZ MARAVIGLIA
FOTOGRAFIAS / PHOTOGRAPHIES:
LUIS ABREGU
FOTO ARQUITECTOS / ARCHITECTS PHOTO:
ANNE MARIE HEINRICH, ALICIA SANGUINETTI
UBICACION / LOCATION:
MAR DEL PLATA, PROVINCIA DE BUENOS AIRES, ARGENTINA
AREA DEL TERRENO / LOT AREA:
914 m² / 9,770 S.F.
AREA DEL PROYECTO / BUILDING AREA:
668 m² / 7,141 S.F.
AÑO DE CONSTRUCCION / PROJECT CONSTRUCTION:
1991

With the values of the place

This project forms part of a process of perfecting change in the consolidated urban structure of the city of Mar del Plata.

The reality of each city goes improving on the basis of new additions which each generation produces reinforcing the identity of the place. This new home recognizes the value of the existing, and by the use of similar materials proposes to update it, recreating the idea of "house", as a part of today's community.

The respect for the presence of ancient trees and the sharp slope of the site, gave shape to the proposal for the house, with a south facing external facade, characterized by the entrance courtyard, and an internal facade formed by a continuum of living spaces, open to the gallery, the garden, the sun.

The exposed brickwork and stone walls, the wood doors and windows, —typical features of the houses in this area— are used with new meaning, redefining the relationship between current architecture and the place's own values.

The concept of order and the austerity of the language, which form the basis of the concept idea, are a part of our reality, which requires an architecture of controlled costs both regarding construction and maintenance.

The avoidance of superfluous and anecdotal elements allows us to go straight to the essentials to obtain forms which make the ideas comprehensible.

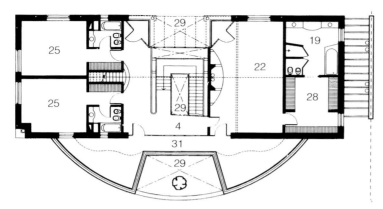

PLANTA NIVEL +3,25 / LEVEL PLAN +3,25

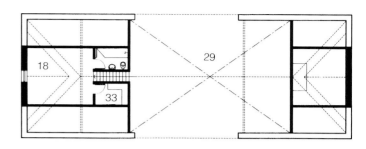

PLANTA NIVEL +6,00 / LEVEL PLAN +6.00

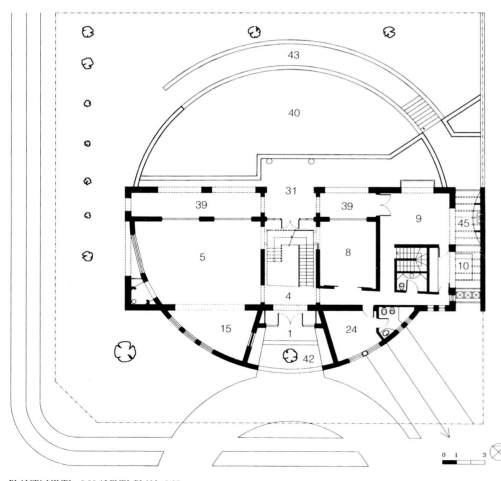

PLANTA NIVEL ±0,00 / LEVEL PLAN ±0.00

Referencias: 1- Acceso. 4- Hall-Recepción. 5- Estar. 8- Comedor. 9- Comedor diario. 10- Cocina. 13- Lavadero. 14- Depósito. 15- Biblioteca. 18- Sala de juegos. 19- Baño principal. 21- Baño de servicio. 22- Dormitorio principal. 24- Dormitorio huéspedes. 25- Dormitorio. 26- Dormitorio de servicio. 28- Vestidor. 29- Hueco-Vacío. 31- Terraza. 33- Sauna. 37- Sala de máquinas. 38- Garaje-Cochera. 39- Galería. 40- Expansión. 41- Patio. 42- Pórtico. 43- Jardín. 45- Parrilla-Barbacoa.

References: 1- Entry. 4- Hall-Reception room. 5- Living room. 8- Dining room. 9- Breakfast room. 10- Kitchen. 13- Laundry. 14- Store. 15- Library. 18- Playroom. 19- Main bathroom. 21- Service bathroom. 22- Main bedroom. 24- Guest room. 25- Bedroom. 26- Service bedroom. 28- Dressing room. 29- Hollow-Void. 31- Terrace. 33- Sauna. 37- Machine room. 38- Garage-Carriage house. 39- Gallery. 40- Extension. 41- Courtyard. 42- Portico. 43- Garden. 45- Grill-Barbecue.

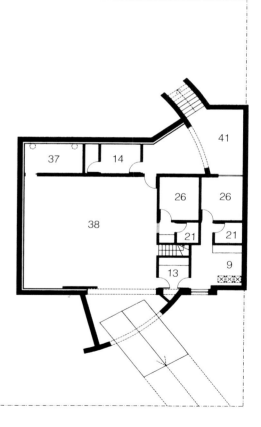

PLANTA NIVEL -3,00 / LEVEL PLAN -3.00

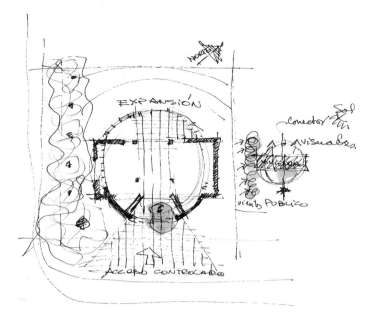

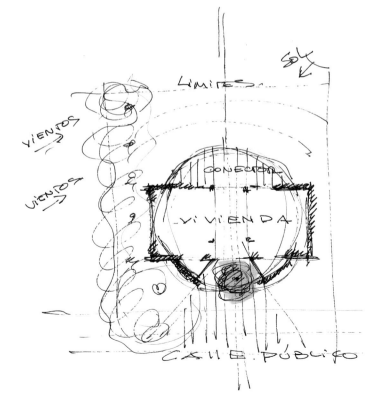

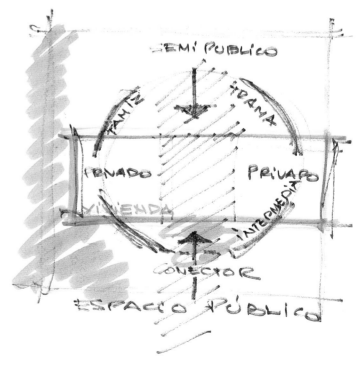

El proyecto de la casa de esta chacra, ubicada en los altos de La Barra, está sustentado en tres temas prioritarios: el lugar, el modo de vida y el uso de los materiales.

El primero de ellos –el lugar– es un alto de un área suavemente ondulada, cruzada por un tajamar que va hacia el arroyo Maldonado y coincidente con el poniente.

En esa misma dirección –el oeste– se obtienen las mejores vistas, ya que al final del paisaje rural, cruzando el arroyo, está el caserío de la ciudad de Maldonado. El área es ventosa y desprovista casi de árboles.

El eje este-oeste, por vistas y orientación, constituye el medio ordenador del proyecto, y el patio surgió como la herramienta para formar un contenedor que por la escala y características crease un espacio acotado, opuesto a la desmesura exterior, como abrigo a los vientos.

La propuesta de bloques aislados alrededor del patio, cosidos por galerías perimetrales aseguró una buena respuesta al segundo condicionante –la forma de vida– donde se buscó máxima independencia para sus ocupantes.

Desde el patio interior, y casi como un juego de perspectivas, se ordenaron en secuencias dos grandes ventanales fijos que permiten, a través del estar principal, gozar de la vista del arroyo y del poniente.

Finalmente, el tercero de los temas –el uso de los materiales– significó la elección de aquéllos que fueran autóctonos del lugar, económicos y cuyo carácter se enlazara naturalmente con la imagen de una casa rural. Se utilizaron palos rollizos de eucaliptus –tratados con autoclave– para los techos, cubierta de chapa acanalada, pisos de ladrillo de campo y de tablones de pino nacional, laja recortada y piedra granítica.

CASA EN CHACRA

HOUSE IN SMALL FARM

ARQUITECTOS / ARCHITECTS:
DIEGO FELIX SAN MARTIN , MARTIN LONNE
COLABORADORES / COLLABORATORS:
DOCUMENTACION / DOCUMENTATION:
CECILIA SANSEVERINO, ARQUITECTA / ARCHITECT
DIRECTOR DE OBRA / CONSTRUCTION MANAGER:
LAURA SKIDELSKY, ARQUITECTA / ARCHITECT
PAISAJISMO / LANDSCAPING:
CARLOS THAYS (h), ROSA M. RICCI
FOTOGRAFIAS / PHOTOGRAPHIES:
XAVIER A. VERSTRAETEN
UBICACION / LOCATION:
LA BARRA, PUNTA DEL ESTE, URUGUAY
AREA DEL PROYECTO / BUILDING AREA.
550 m² / 5,880 S.F.
AÑO DE CONSTRUCCION / PROJECT CONSTRUCTION:
1991

The project for the house on this small farm, located in the heights of La Barra, is based on three principal themes: place, way of life and use of materials.

The first of these –the place– is a high point within an area of softly rolling countryside crossed by a gorge which runs towards the Maldonado stream and coincides with the westerly direction.

In this same direction –West– one obtains the best views, because beyond the rural landscape, across the stream, we find the city of Maldonado. The area is windy and almost bare of any trees.

The east-west axis, due to views and orientation, constitutes the ordering element of the project. The court appeared as a tool to form a container which, by scale and characteristics, could create a limited space in opposition to the external excess; a protection from the winds.

The proposal of isolated blocks around the courtyard, sewn together by perimeter galleries, ensured a good response to the second factor –the way of life– where maximum independence was sought for its occupants.

From the internal courtyard, and almost as a play on perspectives, two large windows were ordered in sequence allowing, through the main living area, the enjoyment of the view of the stream and the west.

Finally, the third theme –the use of materials– implied the selection of those which were typically local, economical and with a character naturally linked to the image of a rural home. Round eucalyptus logs –treated in autoclave– were used for the roof structure, ribbed metal sheet roofing above, hand-made bricks and local pine boards for the flooring, as well as cut flagstone and granite.

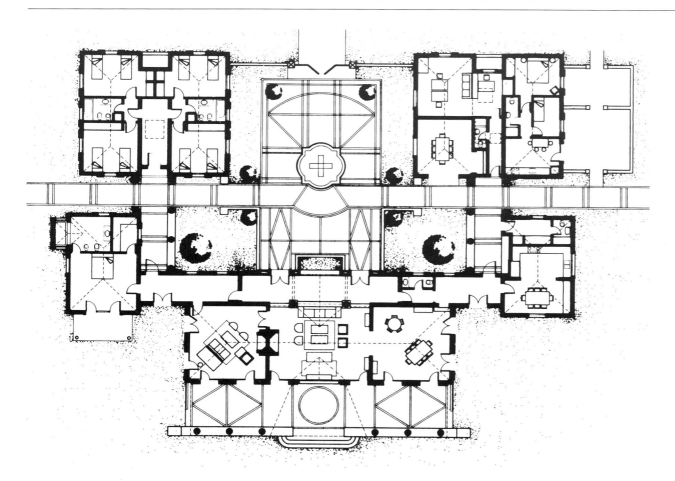

PLANTA / FLOOR PLAN

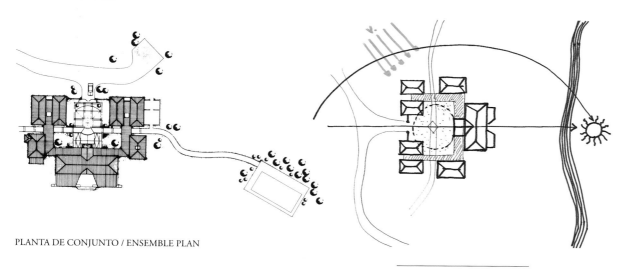

PLANTA DE CONJUNTO / ENSEMBLE PLAN

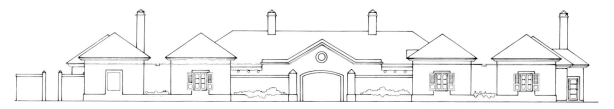

ALZADO ACCESO / ENTRY ELEVATION

ALZADO ACCESO / ENTRY ELEVATION

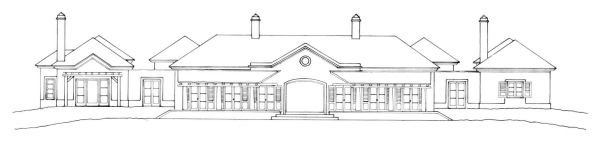

ALZADO CONTRAFRENTE / REAR ELEVATION

ALZADO LATERAL / LATERAL ELEVATION

SECCION - ALZADO / SECTION - ELEVATION

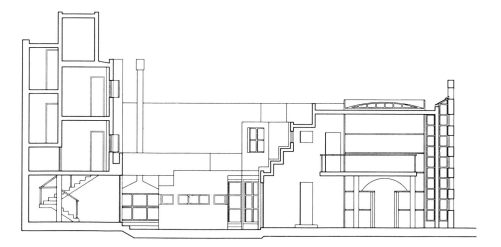

Se puede considerar un desafío insertar en el texto inacabado de una ciudad sin respiro como es Buenos Aires, una vivienda unifamiliar de complejo programa, en un lote de reducidas dimensiones –8,66 m x 21 m– sobre todo cuando el mensaje que transmite el cliente (un matrimonio y cuatro hijos adolescentes) es de una obra muy deseada.

La idea básica fue la de conservar un elemento natural: una parra casi centenaria y recuperar el tema del patio con sus tradicionales atributos de protagonista y organizador del espacio arquitectónico. Pero, ¿cómo crear un lugar para ser disfrutado y no sólo reconocido?

En este caso, distintos elementos interactúan en contacto directo y como prolongación de funciones: el SUM, la cocina, el estar y desde el acceso una pared girada anuncia la presencia de comunicación fluída entre ambos, sin olvidarnos de la parra que cambia su aspecto en las distintas estaciones del año. En el invierno con su trama aparentemente seca permite la entrada del sol y en verano, con el verde de sus hojas, actúa como un techo protector.

El color actúa como elemento preponderante y acentúa el carácter variado de la propuesta exterior; dentro de la casa, el blanco es el común denominador acentuado con la entrada de la luz, no sólo de los planos verticales sino con lucarnas estratégicamente distribuídas.

El patio es el pulmón de la casa, como el pulmón de la manzana en una trama urbana. Es la ciudad con su multiplicidad de formas y colores. La casa pertenece a ella.

CASA DE LA PARRA

GRAPE-VINE HOUSE

ARQUITECTOS / ARCHITECTS:
MARIO STABILITO, ISACIO A. GONZALEZ
FOTOGRAFIAS / PHOTOGRAPHIES:
LUIS ABREGU
UBICACION / LOCATION:
BUENOS AIRES, ARGENTINA
AREA DEL TERRENO / LOT AREA:
190 m² / 2,030 S.F.
AREA DEL PROYECTO / BUILDING AREA:
271 m² / 2,897 S.F.
AÑO DEL PROYECTO / PROJECT DESIGN:
1990
AÑO DE CONSTRUCCION / PROJECT CONSTRUCTION:
1991

It can be considered a challenge to insert within the unfinished text of a city without respite like Buenos Aires, a one-family home with a complex program, on a site of reduced dimensions –28.42 x 68.92 f.– specially when the message transmitted by the client (a couple with 4 teenage children) is that of a deeply longed for project.

The basic idea was to conserve a natural element: a grapevine almost a hundred years old, and recover the theme of the courtyard with its traditional attributes of protagonist and organizer of the architectural space. But how does one create a place to be enjoyed and not only recognized?

In this case, different elements interact in direct contact and as extensions of the functions: the Multiple Use Room, the Kitchen, the living room, and from the entrance a rotated wall announces the presence of fluid communication between them, without forgetting the grapevine which changes its appearance in the different seasons of the year. In winter, with its dry appearance, it allows the sun to enter and in summer, with the green of its leaves, it acts as a protective canopy.

Color is a prevailing feature and accentuates the varied character of the external proposal. Inside the house, white is the common denominator, highlighted by the entrance of light, not only from the vertical glazing but also from the strategically distributed skylights.

The courtyard is the heart of the house, like the green areas at the heart of the blocks in an urban grid. It is the city with its multiple shapes and colors. The house belongs to it.

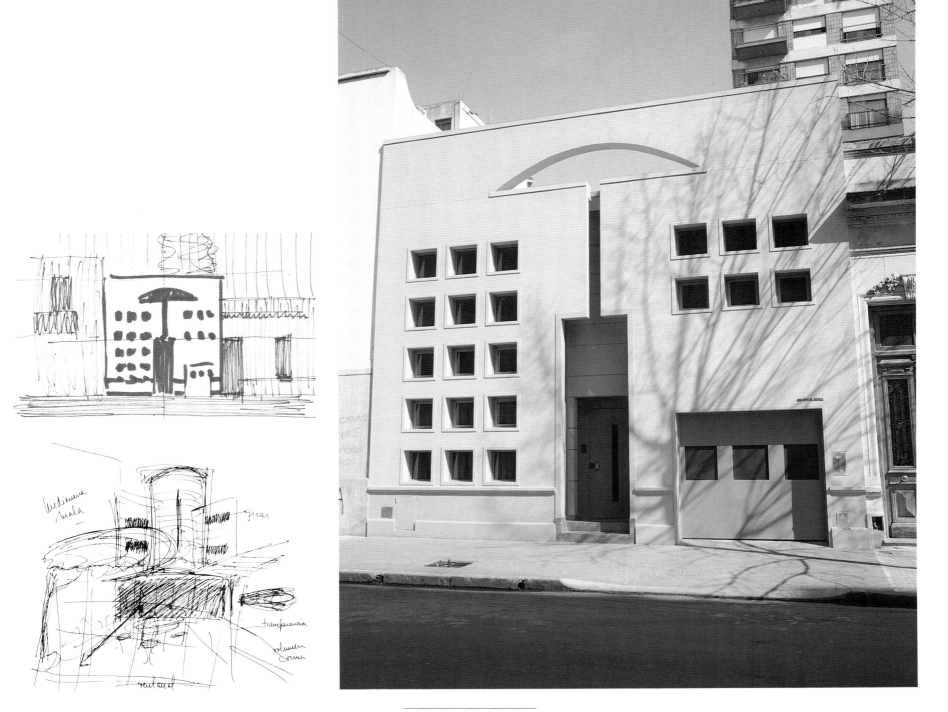

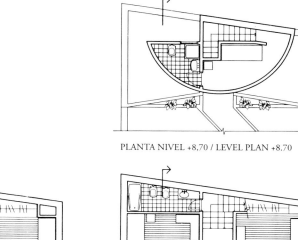

PLANTA NIVEL +8,70 / LEVEL PLAN +8.70

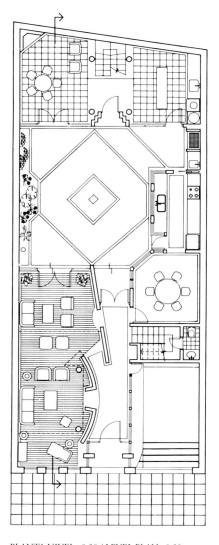

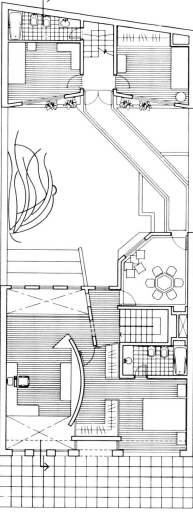

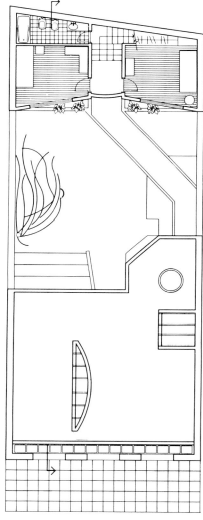

PLANTA NIVEL +0,30 / LEVEL PLAN +0.30   PLANTA NIVEL +3,10 / LEVEL PLAN +3.10   PLANTA NIVEL +5,90 / LEVEL PLAN +5.90

CASA EL CONDOR

EL CONDOR HOUSE

ARQUITECTOS / ARCHITECTS:
CHRISTIAN DE GROOTE, CAMILA DEL FIERRO
CONSTRUCTOR / CONTRACTOR:
ECHEVERRIA E IZQUIERDO LTDA.
FOTOGRAFIAS / PHOTOGRAPHIES:
GUY WENBORNE
UBICACION / LOCATION:
CAMINO EL CONDOR 7051, VITACURA, SANTIAGO, CHILE
AREA DEL TERRENO / LOT AREA:
1.483 m² / 15,853 S.F.
AREA DEL PROYECTO / BUILDING AREA:
450 m² / 4,810 S.F.
AÑO DEL PROYECTO / PROJECT DESIGN:
1988
AÑO DE CONSTRUCCION / PROJECT CONSTRUCTION:
1993-1995

Esta casa, propiedad de los mismos arquitectos, Christian de Groote y Camila del Fierro, forma parte de un conjunto de tres casas que comparten un hermoso terreno en pendiente, localizado en uno de los bordes de la urbanización Santa María de Manquehue, en el pie cordillerano de Santiago. El paño original ha sido dividido en tres sitios independientes que, a pesar de pertenecer a tres propietarios distintos, ha sido concebido manteniendo una fuerte continuidad a nivel de los jardines, y con la arquitectura manejada dentro de una misma familia morfológica.

El lugar presenta por sí mismo una hermosura y una particularidad notables: una condición de rincón, producida por la topografía y el curso de las calles, con resonancias todavía rurales. Los árboles existentes en el terreno mismo y en las vecindades, la presencia cercana de las casas y bodegas de la antigua Hacienda, origen de la urbanización, son todos factores que contribuyen a caracterizarlo de una manera precisa y a convertirlo en lo opuesto de un terreno anónimo e indiferenciado de cualquier trama típica suburbana.

Además de la concepción unitaria del espacio exterior, el partido morfológico que vincula las tres casas es una combinación del cilindro y el prisma rectangular como generatrices geométricas. Cada una de las casas asume una particular clarificación de ambos principios formales. La casa El Cóndor aparece como la más introvertida, completamente ceñida por la envolvente del cilindro, que manteniendo su integridad geométrica, sólo se abre en aquellos puntos en que la vista está deliberadamente permitida.

En el origen de este contrapunto, especialmente en

This house, owned by the architects themselves, Christian de Groote and Camila del Fierro, forms part of a complex of three houses which share a beautiful sloped site, located on one of the edges of the Santa Maria de Manquehue urbanization, at the foot of the Cordillera in Santiago. The original plot has been divided into three independent sites which, in spite of belonging to three different owners, have been conceived maintaining a strong continuity between the gardens, and developing the architecture within one same morphological family.

The place itself presents a striking beauty and one particular feature: a corner condition, produced by the topography and the line of the streets, with a feel which is still rural. The existing trees within the site itself and in the neighborhood, the close presence of the houses and wineries of the old Hacienda, center of the urbanization, are all factors which contribute to characterize it in a precise manner and convert it into the opposite of an anonymous and indifferent plot as found in any typical suburban grid.

As well as the unified concept of the external space, the morphological arrangement which links the three houses is a combination of cylindrical and rectangular prisms as geometric generators. Each one of the houses assumes a particular clarification of both formal principles. The El Condor house appears as the most introverted, completely enclosed by the cylindrical wall which, maintaining its geometric integrity, only opens at those points at which the view is deliberately allowed.

In the origin of this counterpoint, specially in this

Referencias plantas: 3- Vestíbulo. 4- Hall-Recepción. 6- Estar familiar. 8- Comedor. 10- Cocina. 13- Lavadero-Tendedero-Plancha. 15- Biblioteca. 16- Estudio-Escritorio-Atelier. 22- Dormitorio principal. 23- Dormitorio niños. 26- Dormitorio de servicio. 28- Vestidor. 29- Hueco-Vacío. 31- Terraza. 34- Solario. 41- Patio.

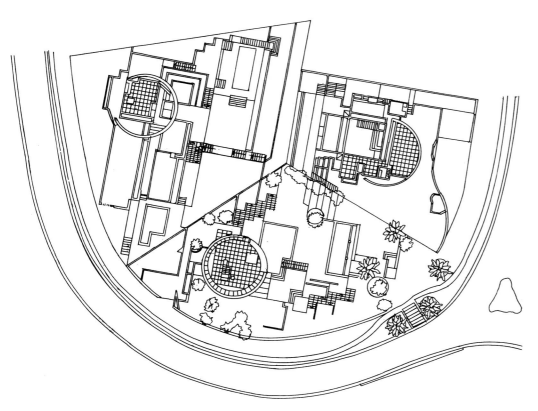

PLANTA DE CONJUNTO / ENSEMBLE PLAN

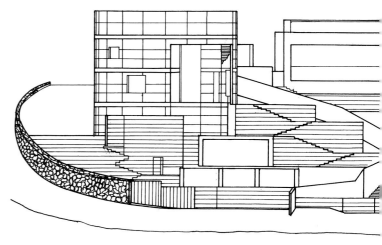

AXONOMETRICA / AXONOMETRIC

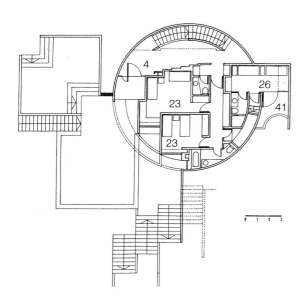

PLANTA PRIMER NIVEL / FIRST LEVEL PLAN

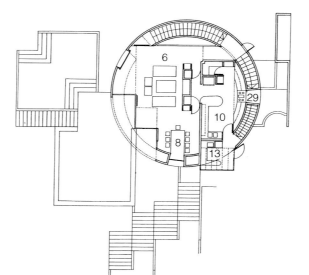

PLANTA SEGUNDO NIVEL / SECOND LEVEL PLAN

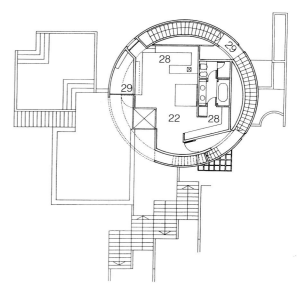

PLANTA TERCER NIVEL / THIRD LEVEL PLAN

Plans references: *3- Hall. 4- Hall-Reception room. 6- Family room. 8- Dining room. 10- Kitchen. 13- Laundry-Hanger-Ironing. 15- Library. 16- Study-Office-Atelier. 22- Main bedroom. 23- Children's bedroom. 26- Service bedroom. 28- Dressing room. 29- Hollow-Void. 31- Terrace. 34- Solarium. 41- Courtyard.*

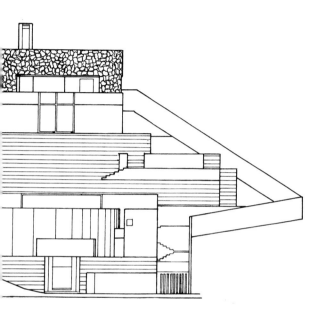

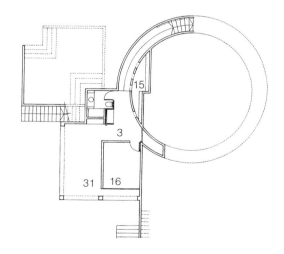

PLANTA CUARTO NIVEL / FOURTH LEVEL PLAN

PLANTA QUINTO NIVEL / FIFTH LEVEL PLAN

esa figura relativamente excepcional que es el cilindro, se encuentra, por una parte, el gesto fundacional del círculo y su capacidad de encerrar una determinada porción de espacio. Por otra, la intención de enclavar las casas en la pendiente, del mismo modo que lo hacían algunos de esos viejos estanques de agua que aun pueden encontrarse en el sector. Hay, además, una resonancia formal con el límite ascendente que impone al terreno la calle El Cóndor, pero lo más importante, es la capacidad del cilindro y su contrapunto con el sistema ortogonal interior, de crear espacios de gran introversión e intimidad, de producir un mundo sorpresivo de lugares intermedios entre exterior e interior, y de darle o más bien devolverle a la arquitectura un real espesor o profundidad, con toda la riqueza de luces y sombras, de vacíos intersticiales, de la arquitectura clásica y barroca.

La casa está constituida por dos cilindros de hormigón a la vista, inscritos uno en el otro, con los centros ligeramente desplazados. Esta doble piel contiene la escalera, que da acceso a los cinco diferentes niveles de la casa, incluyendo la terraza mirador superior, y encierra, dentro de su área circular, el sistema ortogonal que ordena los recintos.

relatively exceptional figure which is the cylinder, one finds, on the one hand, the foundational gesture of the circle and its capacity of enclosing a specific portion of space. On the other hand, the intention of inserting the houses on the slope, in the same manner as some of those old water reservoirs one can still find in the area. There is, also, a formal resonance with the ascending border imposed on the plot by the El Condor street but, what is most important, is the capacity of the cylinder and its counterpoint with the internal orthogonal system, of creating spaces of great introversion and intimacy, of producing a surprising world of intermediate places between the inside and the outside, and of imbuing, or better said recovering for the architecture a real thickness or depth, with all the richness of light and shadows, of interstitial voids, of classic and baroque architecture.

The house is formed by two exposed concrete cylinders, inscribed one inside the other, with their centers slightly displaced. This double skin contains the stairs, which gives access to the five different levels of the house, including the lookout terrace above, and encloses, within its circular area, the orthogonal system which organizes the rooms.

❏ La casa Lavados se encuentra a 800 km al sur de Santiago, en las faldas del volcán Villarica. Surge a partir de un encargo en que el cliente solicita una casa para vivir una vez retirado de su trabajo y en la que a la vez pueda recibir a sus hijos y nietos en los períodos de vacaciones, sin alterar su independencia. El terreno elegido para ello es un rectángulo de 30 x 80 m que presenta una pendiente en el sentido longitudinal y un barranco a todo lo largo de su borde norte. Además hay presencia de rocas y una vista lejana sobre el Lago Villarrica. Recogiendo estas condiciones, el proyecto se funda en la idea de edificar una casa en dos niveles para separar la "casa de los mayores" de la "casa de las visitas". Por esta razón se decide construir la casa contra la pendiente y así producir esta separación en forma natural. La casa surge como un volumen de madera y vidrio abierto al norte y adosado por el sur a un muro de piedra. En el espacio que los separa aparece una galería que recorre la totalidad del interior y que sirve de espacio para el acceso y única circulación.

El volumen se posa sobre un zócalo de la misma piedra que el muro y está cubierto con un techo curvo de cobre. El muro sur es perforado en la zona de la escalera por un tambor de cobre que une las dos plantas. El programa se divide de modo que en el nivel de acceso se sitúan el estar, el comedor, la cocina, el dormitorio principal y las dependencias; en el nivel inferior se ubican los dormitorios de invitados con un segundo estar. Los exteriores están trabajados en niveles, en la parte superior se dispone la terraza de sol y en la parte inferior la terraza de sombra.

La piscina se ha colocado en el borde, a lo largo del piso inferior, para acercar la presencia del lago.

CASA LAVADOS

LAVADOS HOUSE

ARQUITECTO / ARCHITECT:
MATHIAS KLOTZ GERMAIN
FOTOGRAFIAS / PHOTOGRAPHIES:
ALBERTO PIOVANO
UBICACION / LOCATION:
VOLCAN VILLARRICA / NOVENA REGION, CHILE
AREA DEL TERRENO / LOT AREA:
1.700 m² / 18,173 S.F.
AREA DEL PROYECTO / BUILDING AREA:
220 m² / 2,351 S.F.
AÑO DEL PROYECTO / PROJECT DESIGN:
1993
AÑO DE CONSTRUCCION / PROJECT CONSTRUCTION:
1995

The Lavados house is located 500 miles South of Santiago, on the slopes of the Villarica volcano. It originates from a commission in which the client requests a house in which to live on retirement and in which he can also receive his children and grandchildren during holiday periods, without affecting his independence. The site chosen is a 100 x 260 ft. rectangle which presents a lengthwise slope and an escarpment all along its northern edge. There is also the presence of rocks and a distant view of the Villarica Lake. Taking into account these conditions, the project is based on the idea of building a house on two levels to separate the "house of the elders" from the "house of the visitors". For this reason the decision is to build the house against the slope and produce this separation in a natural manner. The house appears as a wood and glass volume, open towards the north and leaning to the south upon a stone wall. In the space which separates them there is a gallery which runs right through the interior and acts as entrance and circulation space.

The volume sits upon a base of the same shade as the wall and is covered with a curved copper roof. The southern wall is perforated in the stair section by a copper drum which links the two levels. The program is divided locating the living room, the dining room, kitchen, main bedroom and service quarters on the entrance level; on the lower level we find the guest bedrooms and a second living room. The outside is developed on various levels, in the upper section we find the sun terrace and in the lower section the shade terrace.

The pool has been placed on the edge, alongside the lower level, for to bring the presence of the lake closer.

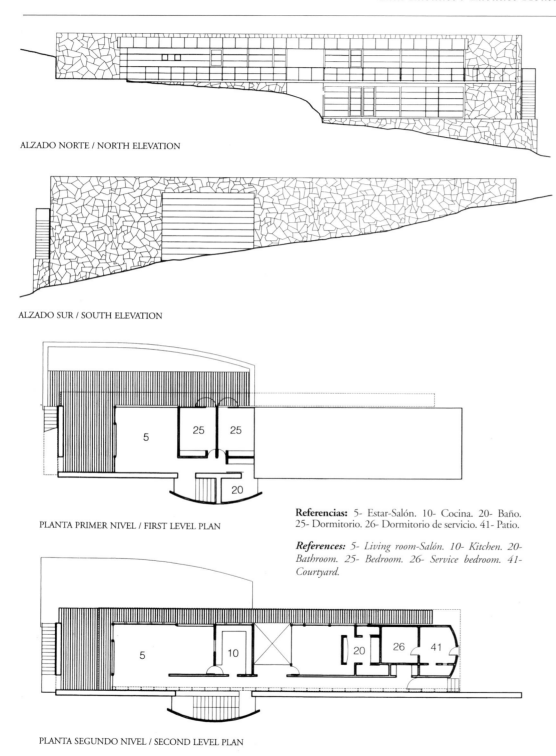

ALZADO NORTE / NORTH ELEVATION

ALZADO SUR / SOUTH ELEVATION

PLANTA PRIMER NIVEL / FIRST LEVEL PLAN

PLANTA SEGUNDO NIVEL / SECOND LEVEL PLAN

Referencias: 5- Estar-Salón. 10- Cocina. 20- Baño. 25- Dormitorio. 26- Dormitorio de servicio. 41- Patio.

References: *5- Living room-Salón. 10- Kitchen. 20- Bathroom. 25- Bedroom. 26- Service bedroom. 41- Courtyard.*

Esta casa se ubica próxima a Los Vilos, en un terreno que enfrenta el mar, con una magnífica vista sobre los roqueríos y una pequeña isla.

El borde marítimo ofrece un sinnúmero de alternativas visuales y de recorridos, en donde pequeños fiordos, cuevas marinas, islotes, altas rocas, configuran una sucesión de inesperadas situaciones marinas. La pequeña isla protege el terreno del mar abierto, produciéndose un gran pozón de mar apto para el baño y especialmente, el buceo, la pesca y recolección de mariscos.

Son estas condiciones las que fundamentan la propuesta arquitectónica. Es así, que ésta se basa en ordenar las dependencias de la casa, en torno a una larga vereda pétrea, que partiendo en la parte superior del terreno va a rematar al mar en una sucesión de terrazas y plataformas aptas para bañarse y pescar.

En torno a esta vereda se organizan linealmente todos los recintos de la casa, reproduciéndose de alguna manera la atmósfera de un pueblito de pescadores del Mediterráneo. Esta vereda llena de puertas y ventanas, tiene un gesto antes de llegar al mar, en donde se produce la entrada al living, junto a la escalera que sube a la terraza superior, y la entrada a la cocina que se ubica al otro lado de la vereda. El recinto más significativo es el gran estar que enfrenta el océano, y que tiene 6 m de ancho por 14 m de largo, y una altura máxima de 8 m. Este gran espacio se zonifica por niveles. El primer nivel es el estar, el que se organiza en torno a la chimenea. El segundo nivel (que coincide con el acceso desde la vereda) es el comedor, y el tercer nivel es el dormitorio principal, el que se separa o integra al total mediante un sistema de puertas de correde-

CASA LOS VILOS

LOS VILOS HOUSE

ARQUITECTO / ARCHITECT:
CRISTIAN BOZA & ASOCIADOS
COLABORADORA / COLLABORATOR:
PAOLA DURRUTY, ARQUITECTA / ARCHITECT
FOTOGRAFIAS / PHOTOGRAPHIES:
GUY WENBORNE
UBICACION / LOCATION:
PANAMERICANA NORTE, SANTIAGO, CHILE
AREA DEL TERRENO / LOT AREA:
2,5 ha
AREA DEL PROYECTO / BUILDING AREA:
385 m² / 4,116 S.F.
AÑO DEL PROYECTO / PROJECT DESIGN:
1995
AÑO DE CONSTRUCCION / PROJECT CONSTRUCTION:
1996

This house is located close to Los Vilos, on a plot which faces the sea, with a magnificent view over the rock formations and a small island.

The sea edge offers an endless number of alternative views and paths, in which small fjords, marine caves, islets, and tall rocks, configure a succession of unexpected maritime situations. The small island protects the site from the open sea, producing a great pool of sea water suitable for swimming and, specially, diving, fishing and collecting shellfish.

These are the conditions which are the basis of the architectural proposal. Therefore, the proposal is based on ordering the rooms of the house around a long stone path which, originating at the upper section of the site, culminates at the sea in a succession of terraces and platforms suitable for bathing and fishing.

Around this path all the rooms of the house are organized in a linear manner, reproducing somehow the atmosphere of a Mediterranean fishing village. This path, full of doors and windows, makes a gesture before reaching the sea, where the entrance to the living room occurs, beside the stair which leads to the upper terrace, and the entrance to the kitchen which occurs on the other side of the path. The most significant room is the large living room which faces the ocean, and which is 20 ft. wide by 46 ft. long. with a maximum height of 26 ft. This great space is zoned by levels. The first level is the living area, organized around the fireplace. The second level (which coincides with the entrance from the path) is the dining area, and the third level is the main bedroom, which becomes totally separated or integrated by means of a system of sliding doors. Taking advantage

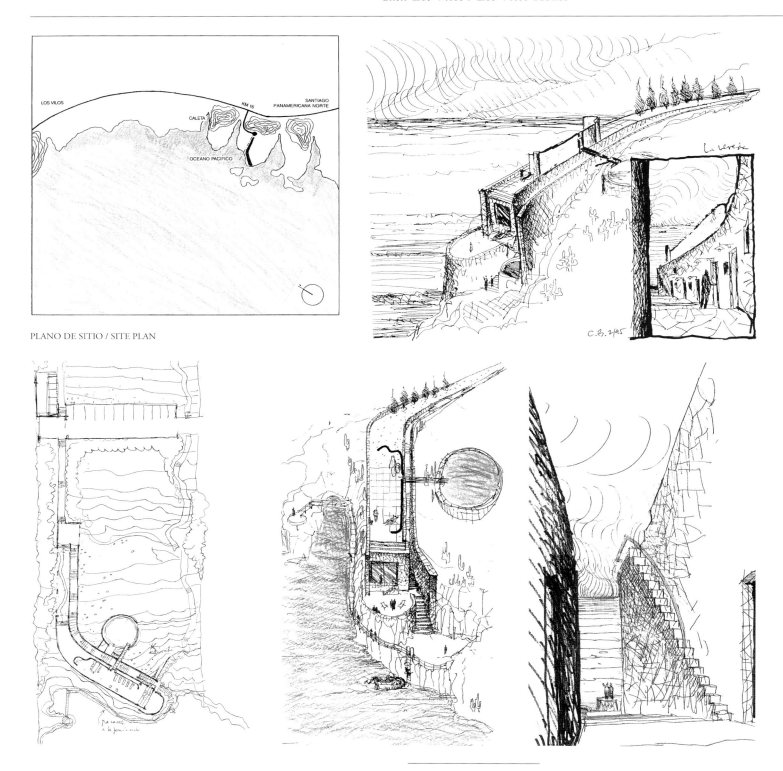

PLANO DE SITIO / SITE PLAN

ra. Aprovechando la gran altura aparece un altillo al que se accede desde el segundo nivel. Es la biblioteca que se abalcona sobre el living.

La losa superior es plana y se plantea como una gran terraza a la que se accede desde la vereda como también desde la parte superior de la propiedad. Esta terraza es el recinto social por excelencia, tiene 6 m de ancho por 25 m de largo y remata frente al mar en un sistema de graderías para mirar la puesta de sol. Está protegida del viento por un muro curvo amarillo, que a la manera del velamen de un barco encallado (otra imagen de la obra), se presenta como un hito simbólico.

Desde la terraza y a través de un puente que perfora el muro amarillo, se accede a la piscina, la que está planteada a la manera de un estanque.

La totalidad de la construcción es en piedra y hormigón a la vista, materiales que contrastan con la tabiquería interior de tablones de eucaliptus horizontales con una cantería en bronce horizontal que destaca el horizonte marítimo.

La propuesta paisajística se basa en la idea de recuperar la flora existente, potenciando las plantas rastreras del lugar, sean éstas molles, docas y la vegetación alta básicamente los cactus y los pinos marítimos.

of the great height we find an attic which is accessed from the second level. It is the library which overlooks the living room.

The upper slab is flat and proposed as a great terrace accessed from the path as well as from the upper section of the property. This terrace is the social room *par excellence,* it is 20 ft. wide by 82 ft. long and culminates in front of the sea in a system of tiered seating for watching the sunset. It is protected from the wind by a curved yellow wall, which in the manner of the sail of a ship which has run aground (another of the images of the project), becomes a symbolic feature.

From the terrace and along a bridge which perforates the yellow wall, one accesses the swimming pool, which is proposed in the manner of a water reservoir.

The whole construction is in stone and exposed concrete, materials which contrast with the internal partitions in horizontal eucalyptus planks with horizontal brass jointing which highlights the maritime horizon.

The landscaping proposal is based on the idea of recovering the existing flora, privileging the ground-covering local plants, be these pepper trees, marigolds and the tall vegetation, basically cactus and sea pines.

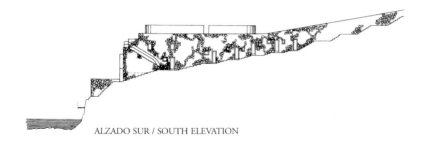

ALZADO SUR / SOUTH ELEVATION

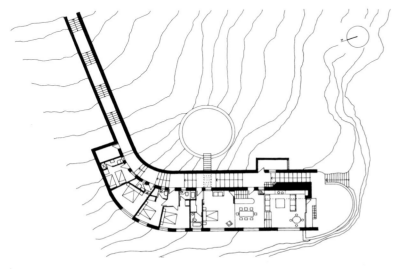

PLANTA BAJA / FIRST FLOOR PLAN

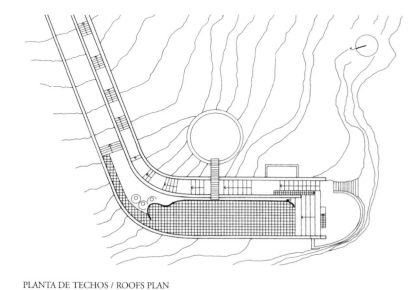

PLANTA DE TECHOS / ROOFS PLAN

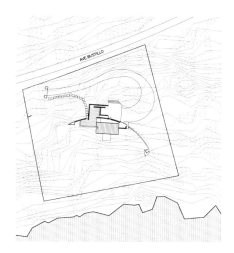

□ *"**G**ermán constató cómo don Alejandro levantaba una de esas piedras pesadas y cuadradas, la miraba al trasluz y rápido le volaba una arista. La piedra centelleaba. Y luego se emparedaba en asociación al cemento. La casa fue así como un racimo de uvas de granito, que fue creciendo en las manos tremendas del maestro García... don Alejandro García sopesando el adoquín, cortando las uvas de granito, y haciendo crecer mi casa como si ella fuera un arbolito de piedra, plantado y elevado por sus grandes manos oscuras".*

Pablo Neruda

La casa está implantada en un terreno de fuerte pendiente (45 m de desnivel en 60 m de desarrollo) y una frondosa forestación de árboles autóctonos, cipreses, coihués y arrayanes (que permiten contactos parciales pero de gran intensidad sensible con el agua) dándole al sitio cualidades espaciales maravillosas.

La aproximación a la construcción es pausada y sutilmente elaborada a partir de algunas singularidades de la geografía, la forestación y las vistas. Los limites de la construcción se confunden con la naturaleza, donde la barranca deja lugar a la losa y la pendiente a la escalera. Este es el lugar exacto donde el punto de visión panorámica del espejo de agua se convierte en el pivote de giro del recorrido peatonal y procecional hacia la vivienda, éste finaliza en un patio de acceso perfectamente definido por la arquitectura y la barranca.

La casa, evocando la estructura espacial del sistema barranca-espejo de agua, está estructurada a partir de un gran muro de pirca, potente, áspero, muy laboriosamente construido; éste deja ver en algunos momen-

CASA AYUTUN-HUE

AYUTUN-HUE HOUSE

ARQUITECTOS / ARCHITECTS:
ROBERTO AMETTE, ROBERTO BUSNELLI
COLABORADORES / COLLABORATORS:
**MARIA ELENA CUPPOLO, DANIELA PROPATO,
ROLANDO PASSARELLI, ARQUITECTOS /ARCHITECTS**
MAQUETAS / MODEL MAKER:
ROLANDO PASSARELLI
FOTOGRAFIAS / PHOTOGRAPHIES:
MIGUEL HANONO, ARQUITECTO / ARCHITECT
UBICACION / LOCATION:
SAN CARLOS DE BARILOCHE, RIO NEGRO, ARGENTINA
AREA DEL TERRENO / LOT AREA:
4.200 m² / 44,898 S.F.
AREA DEL PROYECTO / BUILDING AREA:
250 m² / 2,672 S.F.
AÑO DEL PROYECTO / PROJECT DESIGN:
1995-1996
AÑO DE CONSTRUCCION / PROJECT CONSTRUCTION:
1996-1997

*"**G**erman saw how Don Alejandro lifted one of those □□ heavy square stones, looked at it against the light and quickly shaved off one of its edges. The stone sparked. Then it became wall in association with the cement. The house was therefore like a bunch of granite grapes, which grew in the great hands of the master García... Don Alejandro García weighing up the cobbles, cutting the granite grapes, and making my house grow as if it were a little stone tree, planted and raised by his great dark hands".*

Pablo Neruda

The house is set on a site with a strong slope (148 ft. drop in level over 197 ft. length) and a thick wood of local trees, cypresses, coigues and myrtles (which allow partial but very intense contact with the water) imbuing the site with marvelous spatial qualities.

The approach to the building is slow and deliberate, subtly developed on the basis of some particular features of the geography, the trees and the views. The limits of the construction become confused with nature, where the escarpment becomes the slab, and the slope the stair. This is the exact place where the point of panoramic view of the water surface becomes the pivot of the pedestrian and processional path towards the house, which ends in a courtyard with its access perfectly established by the architecture and the slope.

The house, evoking the spatial structure of the slope-water surface system, is structured on the basis of a great stone wall, potent, rough, very laboriously built; at some moments it allows the water, the interi-

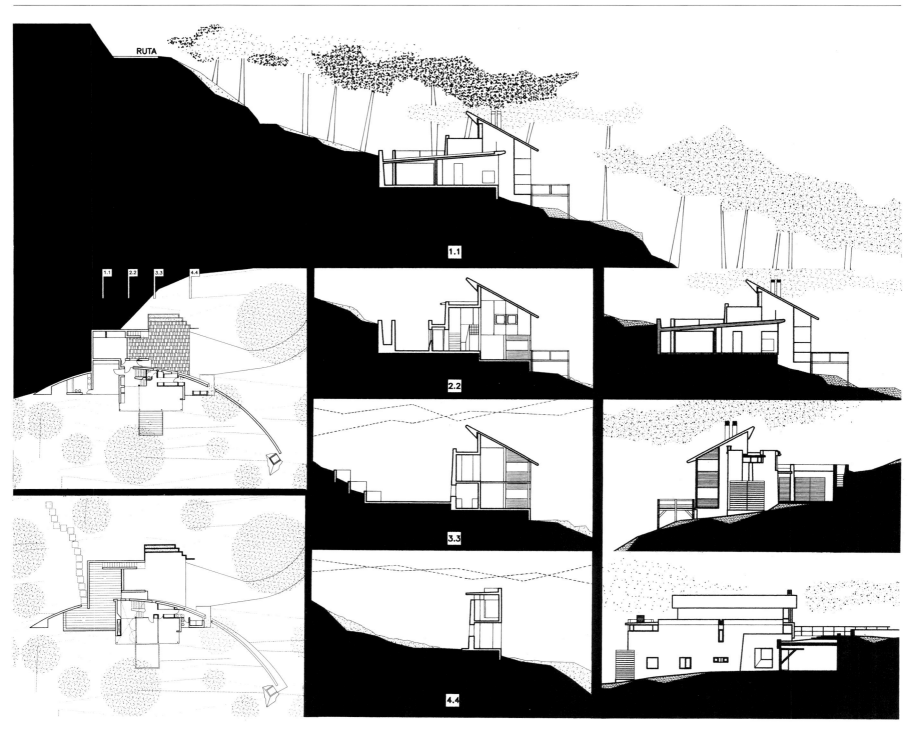

PLANTAS / FLOOR PLANS

SECCIONES / SECTIONS

ALZADOS / ELEVATIONS

tos el agua, el interior y el bosque, conformando un mismo paisaje. El muro organiza linealmente un programa que también reconoce el sitio; las áreas de servicio se apoyen en él, y los espacios de vida frente al imponente paisaje. Su presencia define muy claramente la huella del hombre y la arquitectura como hecho cultural, explica el lugar, su estructura material, su tradición constructiva y su topografía escabrosa. Es la frontera con el mundo exterior, dentro de la cual una porción del mundo natural ha sido encerrada. Esta muralla es la línea de defensa, condición que la vuelve delgada, transparente, vulnerable, creando un nuevo escenario donde el espejo interior se abre al jardín exterior. De esta forma, el muro toma posesión del lugar siguiendo la forma de la cota de nivel donde se apoya, donde el terreno se quiebra más fuertemente, dejando a su lado la parte más plana del mismo; allí se propone una "situación" de acceso que se define espacialmente por la arquitectura, la barranca y el cielo, ya que es el único lugar donde no hay árboles.

En el interior hay una segunda fachada que ya no es la arquitectura, es el lago, sus reflejos, el agua, las aves y el viento, que nos hacen olvidar el fuerte impacto inicial de la arquitectura. A su vez en el interior, todo es contacto con la naturaleza, todo es luz, árboles y madera en los pisos, en las carpinterías y en los techos. Precipicio e inmensidad.

La casa construye la vista del lago y las montañas. Es una caja de ventana para mirar hacia afuera; simultáneamente trabaja rasgos y elementos del sitio en sí mismo. La vista es aumentada por memorias o reflejos de un sitio más grande. La arquitectura está íntimamente vinculada a la experiencia del lugar.

Nota de los autores:
Gracias a esta obra el estudio obtuvo el "Primer Premio para La Joven Generación", en la VII Bienal Internacional de Arquitectura de Bs. As. BA'98.

or and the woods to be seen, conforming one same landscape. The wall linearly organizes a program which also recognizes the site; the service areas lean upon it, and the living spaces face the imposing landscape. Its presence clearly defines the footprint of man and architecture as a cultural act; it explains the place, its material structure, its constructive tradition and its rough topography. It is the border with the outside world, within which a portion of the natural world has been enclosed. This wall is the line of defense, a condition which makes it thin, transparent, vulnerable, creating a new scenario where the internal space opens onto the external garden. In this way, the wall takes possession of the place following the shape of the contour line upon which it sits, where the land falls more brusquely, leaving on one side the flatter section. Here an access "situation" is proposed, spatially defined by the architecture, the slope and the sky, as it is the only place where there are no trees.

In the interior there is a second facade which is no longer the architecture, it is the lake, its reflections, the water, the birds and the wind, which make us forget the strong initial impact of the architecture. At the same time, inside, everything is contact with nature, everything is light, trees and wood on the floors, in the windows and on the roofs. Precipice and immensity.

The house builds the view of the lake and the mountains. It is a window box for looking out; simultaneously it develops features and elements of the site itself. The view is increased by memories or reflections of a larger site. The architecture is intimately linked to the experience of the place.

Author's note:
Thanks to this project the practice obtained the "First Prize for the Young Generation", in the VII International Biennial of Architecture of Bs. As. BA'98.

CASA DEL ALBA

SUNRISE HOUSE

ARQUITECTOS / ARQUITECTS:
**CRISTIAN UNDURRAGA, ANA LUISA DEVES,
TANIA AYOUB**
PAISAJISTA / LANDSCAPIST:
JUAN GRIMM
FOTOGRAFIAS / PHOTOGRAPHIES:
GUY WENBORNE
UBICACION / LOCATION:
**CAMINO EL CONDOR, SANTA MARIA DE MANQUEHUE,
SANTIAGO, CHILE**
AREA DEL TERRENO / LOT AREA:
5.000 m² / 53,450 S.F.
AREA DEL PROYECTO / BUILDING AREA:
750 m² / 8,017 S.F.
AÑO DEL PROYECTO / PROJECT DESIGN:
1995
AÑO DE CONSTRUCCION / PROJECT CONSTRUCTION:
1996

El desafío de esta obra es proponer una alternativa que conjugue dos órdenes distintos. Por un lado, la escala geográfica que sugieren los cerros inmediatos y la cordillera lejana. Por otro, la escala íntima, doméstica, el mundo de las fronteras más próximas, el mundo del propio dominio.

El lugar es para nosotros el primer fundamento de la obra, la arquitectura no puede entenderse al margen de la tierra donde se erige. En esta pertenencia al lugar la obra reconoce tiempo y espacio, geografía y cultura. Otro de los temas fundamentales que desarrollamos en este proyecto, es la poética de los movimientos. La permanencia en el tiempo de la obra genera una inmovilidad dentro de la cual surge la poética de la movilidad.

Frente a la fuerza conmovedora del paisaje, propusimos un gesto longitudinal que permitiera extender el edificio sobre la cota escogida, alcanzando una dimensión propia de la geografía y además recoger las vistas sobre el valle y la cordillera. A modo de ocupar el territorio, se construyeron en el lugar tres terrazas a modo de "terrazas andinas", propias de la cultura Inca.

A la casa se accede por la terraza superior. Esta plataforma expone al espectador a la inmensidad de la geografía circundante. La terraza de acceso, tiene como respaldo un muro que en su interior cobija el pasillo "columna vertebral" de la casa. Este pasillo relaciona los espacios en un sentido vertical y horizontal. En los extremos, los muros de este espacio de doble altura se doblan y capturan una mayor cantidad de luz, insinuando una continuidad que no se revela pero que se sugiere, intentando así capturar el infinito...

Los recintos íntimos se apoyan en este eje, volcando todas las vistas hacia el oriente, hacia el Alba...

The challenge of this project was to propose an alternative which would bring together two different orders. On the one hand, the geographic scale suggested by the nearby hills and the distant cordillera. On the other, the intimate, domestic scale, the world of close frontiers, the world of one's own domain.

The place, for us, is the first basis of the project, the architecture cannot be understood separately from the land on which it sits. In this sense of belonging to the place, the building recognizes time and space, geography and culture. Another of the fundamental themes we developed in this project, is the poetry of movement. The building's permanence in time generated an immobility within which we find the poetry of mobility.

Faced with the commanding power of the landscape, we proposed a longitudinal gesture which would allow the building to be extended along the chosen contour line, reaching a dimension which belongs to the geography, and also to take on the views over the valley and the cordillera. In order to occupy the territory, three terraces were built in the form of "Andean terraces", typical of the Inca culture.

The house is accessed through an upper terrace. This platform exposes the spectator to the immensity of the surrounding geography. The entrance terrace is backed by a wall which houses the corridor, the "backbone" of the house. This corridor links the spaces in a vertical and horizontal sense. At the ends, the walls of this double height space fold and capture a greater amount of light, insinuating a continuity which is not revealed, but suggested, with the intention of capturing the infinite...

The intimate rooms lean upon this axis, opening all their views towards the east, towards the Sunrise...

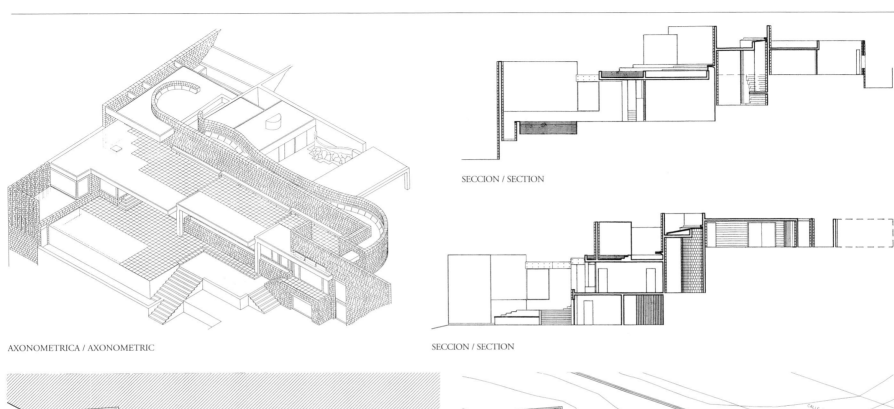

SECCION / SECTION

SECCION / SECTION

AXONOMETRICA / AXONOMETRIC

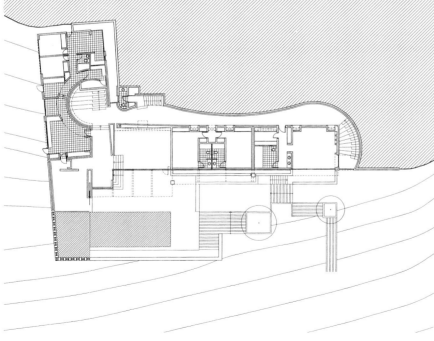

PLANTA PRIMER NIVEL / FIRST LEVEL PLAN

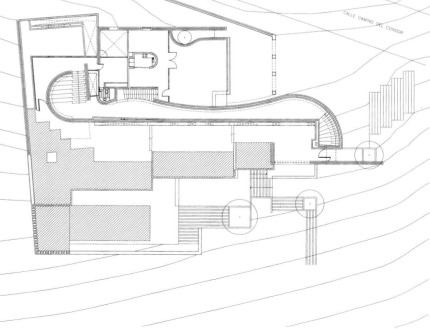

PLANTA SEGUNDO NIVEL / SECOND LEVEL PLAN

❏ Esta casa se ubica en un loteo en los faldeos del cerro Manquehue, hito característico del sector oriente de Santiago, en un terreno de 1.450 m², con una pendiente de un 18% que baja desde la calle hacia el sur mirando sobre el valle de Santiago.

El programa de recintos consultaba: 1 dormitorio principal, con su baño y vestidor, 1 escritorio adyacente, 4 dormitorios de hijas con su baño, 1 baño de visitas, 1 sala de estar familiar, 1 salón principal, comedor, cocina, dependencias de servicio y estacionamiento techado para 3 autos.

El partido general consistió en disponer los recintos en un volumen de planta cuadrada, de toda la anchura del terreno, ubicado arriba, cerca de la calle, con un patio central cilíndrico en torno al cual interiormente se circula, pasando por niveles escalonados que se adaptan a la topografía. Este patio central es una gran perforación que separa el plano del cielo, del volumen, enmarcando la cumbre del cerro Manquehue, y deja entrar el sol del norte al salón principal.

El partido arquitectónico descrito permitió conciliar la fluidez de un espacio continuo que abarca la totalidad del interior, con la necesidad de fraccionarlo en diversos recintos cerrables. A la vez, se consiguió sustraer la casa a la vista del vecindario recientemente construido y dejar sólo la presencia antagónica de la cumbre del cerro y el valle de la ciudad como referencias geográficas.

CASA EN CALLE LICANRAY

HOUSE ON LICANRAY STREET

ARQUITECTOS / ARCHITECT:
LUIS IZQUIERDO WACHHOLTZ, ANTONIA LEHMANN SCASSI-BUFFA
FOTOGRAFIAS / PHOTOGRAPHIES:
GUY WENBORNE
UBICACION / LOCATION:
CALLE LICANRAY N° 6667, SANTA MARIA DE MANQUEHUE, SANTIAGO, CHILE
AREA DEL TERRENO / LOT AREA:
1.450 m² / 15,500 S.F.
AREA DEL PROYECTO / BUILDING AREA:
460 m² / 4,917 S.F.
AÑO DE CONSTRUCCION / PROJECT CONSTRUCTION:
1993

This house is located within an urbanization upon ⌐⌐ the slopes of the Manquehue hill, a characteristic feature of the eastern section of Santiago, on a 15.600 sq. ft. site, with an 18% slope which drops from the street towards the south, overlooking the Santiago valley.

The program of rooms included: 1 main bedroom, with its own bathroom and dressing room, 1 adjacent study, 4 bedrooms for the daughters with their bathroom, 1 guest bathroom, 1 family room, 1 main living room, dining room, kitchen, maid's quarters and covered parking space for 3 cars.

The general design concept was to organize the rooms in a volume with a square floor plan, occupying the full width of the site, located at the top, close to the street, with a cylindrical central courtyard around which one circulates internally, passing through stepped levels which follow the topography. This central courtyard is a large perforation in the plane of the sky of the volume, framing the peak of the Manquehue hill, and allowing the sun from the north to enter the main living room.

The architectural layout described allowed us to combine the fluidity of a continuous space which encompasses the whole interior, with the need to divide it into various enclosable rooms. At the same time we managed to remove the house from view from the recently built neighborhood and only the antagonistic presence of the peak of the hill and the valley of the city remain as geographical references.

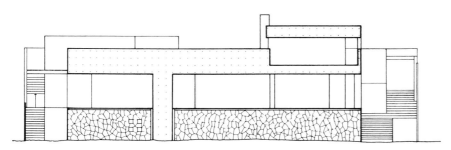

ALZADO SUR / SOUTH ELEVATION

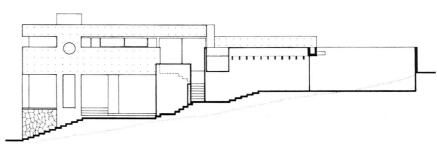

ALZADO ESTE / EAST ELEVATION

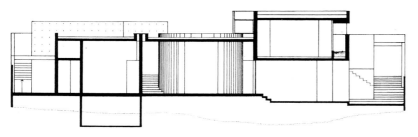

SECCION / SECTION

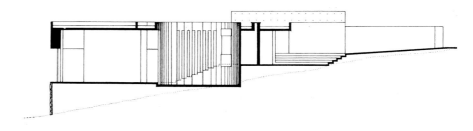

SECCION / SECTION

Referencias: 1- Acceso. 5- Estar-Salón. 6- Estar familiar. 8- Comedor. 13- Lavadero-Tendedero-Plancha. 16- Estudio-Escritorio-Atelier. 21- Baño de servicio. 22- Dormitorio principal. 25- Dormitorio. 31- Terraza. 35- Piscina. 38- Garaje-Cochera. 41- Patio.

References: 1- Entry. 5- Living room-Salon. 6- Family room. 8- Dining room. 13- Laundry-Hanger-Ironing. 16- Study-Office-Atelier. 21- Service bathroom. 22- Main bedroom. 25- Bedroom. 31- Terrace. 35- Swimming pool. 38- Garage-Carriage house. 41- Courtyard.

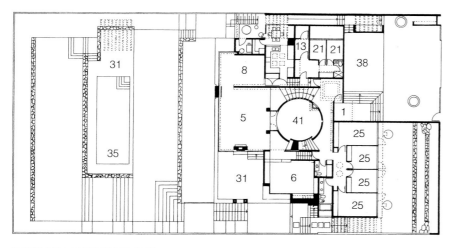

PLANTA BAJA / FIRST FLOOR PLAN

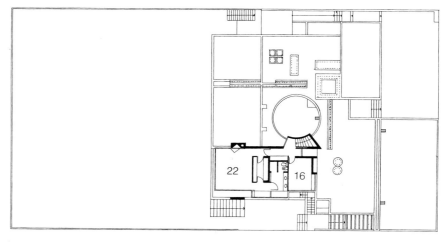

PLANTA PRIMER PISO / SECOND FLOOR PLAN

CASA EN LAS VERBENAS

HOUSE IN LAS VERBENAS

ARQUITECTOS / ARCHITECTS:
JORGE IGLESIS G., MARIANA DONOSO F.
COLABORADOR / COLLABORATOR:
JUAN MARTINEZ MESQUIDA
CONSTRUCTOR / CONTRACTOR:
CARLOS ARCE E HIJO
UBICACION / LOCATION:
LAS VERBENAS 7946, LAS CONDES, SANTIAGO, CHILE
AREA DEL TERRENO / LOT AREA:
415 m² / 4,436 S.F.
AREA DEL PROYECTO / BUILDING AREA:
200 m² / 2,138 S.F.
AÑO DE CONSTRUCCION / PROJECT CONSTRUCTION:
1994

En la primavera del 93 comenzamos a levantar este sueño de piedra y madera en un pequeño solar de 415 m² en Santiago frente a la Cordillera de los Andes. Se irguió poco a poco, con mucho cuidado y dedicación, el proyecto fue concebido desde un principio como una caja para atesorar los momentos. Rodeado de edificaciones existentes, no buscaba protagonismo, ni alardes formales. Sólo interesaba lograr un espacio interior tranquilo, de reposo y silencio, ausente de la calle. En un espacio limitado, el terreno se fundió con el interior de la vivienda, ligando íntimamente el adentro y el afuera. El partido concibe el sitio como un total para desarrollar los espacios, donde el interior se prolonga en diversos exteriores, potenciando la individualidad de cada recinto. La vivienda se transformó en una sucesión de patios, controlados de lo público a lo privado. Patios animados por el paso del sol, cambiando durante el día y la noche, que otorgan sentido e identidad a cada recinto.

Hacia el exterior, el volumen se muestra cerrado y rotundo, abriéndose hacia el interior, en distintas direcciones, valorizando las calidades de la luz y la vegetación. La vivienda es sólo una simple caja acompañada por un gran muro que da lugar al acceso y a la circulación. Las vistas siempre son rematadas por los muros, las macetas de plantas o el plano del agua.

El espacio principal (estar comedor), corazón de la vivienda y cobijo de la vida familiar, se emplaza en el medio de la composición y se abre a varias vistas distintas. El lugar de los padres busca la privacidad en el fondo del terreno, en tanto el mundo de los hijos se independiza en segundo nivel cruzando un puente suspendido sobre los recintos principales.

In spring of '93 we began building this wood and stone dream on a small 4,480 sq. ft. plot in Santiago, in front of the Andes Cordillera. It progressed little by little, with much care and dedication; the design was conceived, from the start, as a box to contain treasured moments. Surrounded by existing buildings, it did not seek protagonism, nor formal display. The only interest was to produce a tranquil interior space, of calmness and silence, absent from the street. Within limited space, the site mingled with the interior of the house, intimately linking the inside with the outside. The design concept views the site as a whole within which to develop spaces, where the interior is prolonged in various exteriors, highlighting the individuality of each room. The house became a succession of courtyards, controllers of the public and private character of each space. Courtyards animated by the movement of the sun, changing between day and night, giving meaning and identity to each room.

Towards the outside, the volume is closed and peremptory, opening towards the interior, in different directions, enjoying the quality of light and the vegetation. The house is only a simple box accompanied by a great wall which forms the entrance and the circulation. The views are always culminated by the walls, the planters or the water surface.

The main space (living dining room), heart of the home and refuge of family life, is located in the center of the composition and opens up to various different views. The parent's place seeks privacy at the back of the site whilst the children's realm is independent upon the second level, across a bridge suspended above the main rooms.

No hay aberturas ni ventanas al exterior, la familia encuentra un mundo propio protegido y volcado sobre su propia intimidad y sus esperanzas. La relación con el entorno está dada por la escala, la dimensión de los adosamientos y la oferta de espacios a la calle. El material predominante es un sencillo bloque de concreto al que se le incorpora el color; las luces de los vanos son salvadas con vigas de acero, las transiciones al exterior están graduadas por pérgolas de madera que serán sustento de enredaderas, buganvillas, flor de la pluma, madreselvas. En el interior está presente la rugosidad del mismo bloque y la madera natural en escalera, puente y vigas de la cubierta siempre bajo el concepto de la austeridad, de lo esencial del diseño.

There are no windows or openings towards the outside, the family finds a protected world of its own and looks in on its own intimacy and hopes. The relationship with the environment is established by the scale, the dimension of the abutments and the spaces offered towards the street. The predominant material is a simple concrete block with color incorporated; the widths of the windows are spanned by steel beams, the transitions towards the outside are graduated by wooden pergolas which will support creepers, bougainvilleas, and honeysuckles. In the interior the roughness of the same concrete block is present and the natural wood appears on the stair, bridge and roof beams, always within a concept of austerity, of designing with the essential.

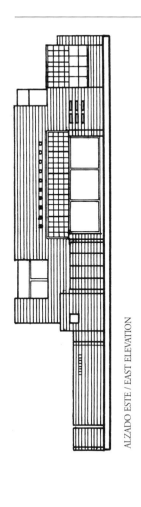

ALZADO ESTE / EAST ELEVATION

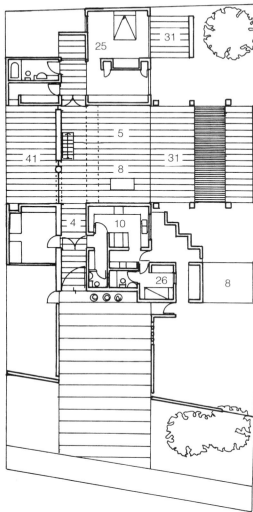

PLANTA PRIMER NIVEL / FIRST LEVEL PLAN

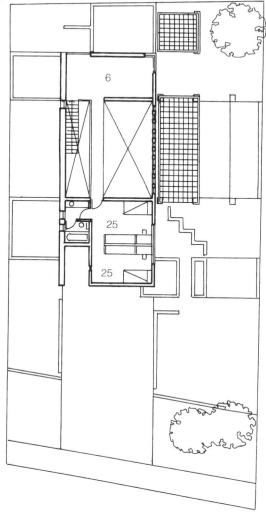

PLANTA SEGUNDO NIVEL / SECOND LEVEL PLAN

SECCION / SECTION

Referencias plantas

4- Hall-Recepción
5- Estar-Salón
6- Estar familiar
8- Comedor
10- Cocina
25- Dormitorio
26- Dormitorio de servicio
31- Terraza
41- Patio

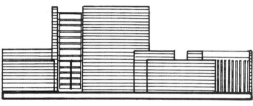

ALZADO SUR / SOUTH ELEVATION

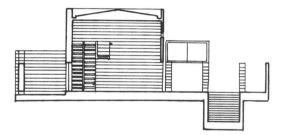

SECCION / SECTION

Plans references

4- *Hall-Reception room*
5- *Living room- Salon*
6- *Family room*
8- *Dining Room*
10- *Kitchen*
25- *Bedroom*
26- *Service bedroom*
31- *Terrace*
41- *Courtyard*

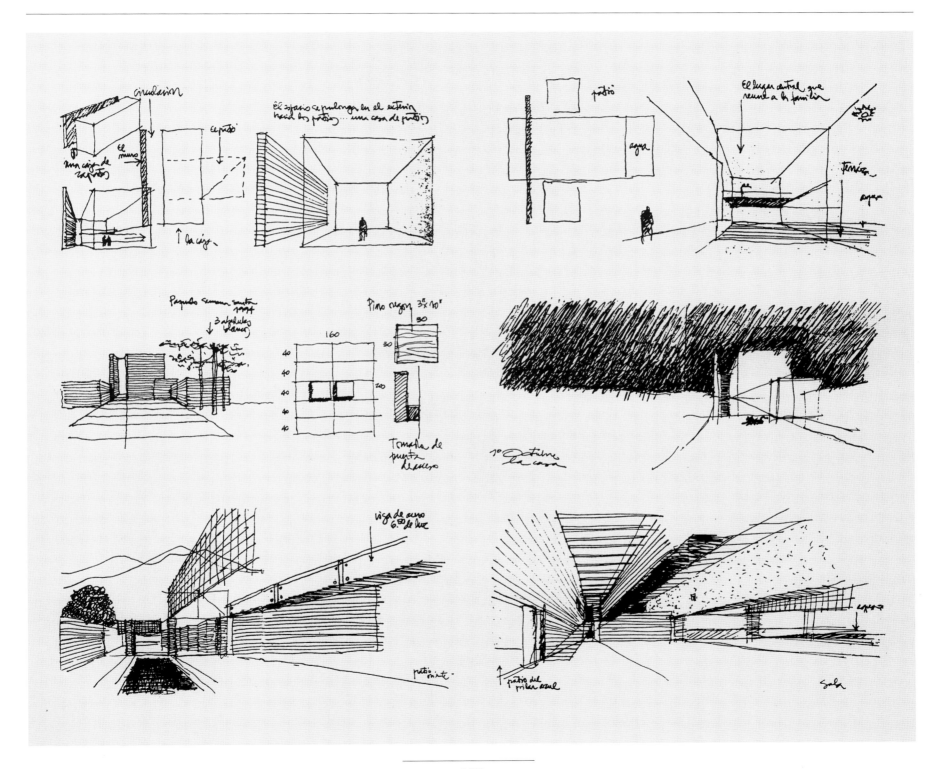

La casa se emplaza en un cerro enfrentado a la Cordillera de los Andes en la zona oriente de la ciudad. No es habitual en Santiago tener una ladera de cerro bajando hacia el oriente y mirando de frente a la cordillera. La ciudad tiene una pendiente relativamente continua que va de cordillera a mar, de oriente a poniente. El lugar de la casa es un cerro que mira la cordillera desde una posición elevada, por sobre la ciudad.

Esta particularidad del lugar es la que origina la posición de la casa, su orientación, sus formas, sus aberturas. La casa se gesta amarrada al cerro y al paisaje. Se inventa una llegada a su interior que desconecta a la persona del paisaje, para luego, todos los recorridos de la casa, conectarlo nuevamente a ese paisaje.

El lugar podría tener una relación "a vuelo de pájaro" con Santiago. Varias casas del vecindario se descuelgan del cerro para lograr vistas aéreas sobre los cerros y sobre la ciudad. En este caso, la casa queda siempre amarrada al suelo, a los árboles del sitio y, a través de ellos aparece el paisaje al fondo. La casa es absolutamente inseparable del suelo en el cual está emplazada. Los árboles que la rodean son litres, quillayes y espinos, especies autóctonas del cerro y exclusivas de esta parte del mundo. Estas especies a su vez generan la posición de la casa y se interponen entre el interior y el paisaje lejano. Su presencia desde el interior es tan inevitable como lo son el cielo, las nubes y los cerros, sólo que pertenecen al primer plano, al mundo privado que rodea la casa.

La casa no está puesta en la superficie del cerro, ni en una plataforma levantada en el aire. Está amarrada íntimamente al suelo, anclada como un arbusto a tra-

CASA EN CAMINO EL CONDOR

HOUSE ON EL CONDOR ROAD

ARQUITECTO / ARCHITECT:
JOSE DOMINGO PEÑAFIEL
COLABORADORES / COLLABORATORS:
**JUAN IGNACIO LOPEZ, BERNARD NOËL,
ARQUITECTOS / ARCHITECTS**
FOTOGRAFIAS / PHOTOGRAPHIES:
JUAN PURCELL
UBICACION / LOCATION:
EL CONDOR Nº 7796, VITACURA, SANTIAGO, CHILE
AREA DEL TERRENO / LOT AREA:
5.000 m² / 53,450 S.F.
AREA DEL PROYECTO / BUILDING AREA:
450 m² / 4,810 S.F.
AÑO DEL PROYECTO / PROJECT DESIGN:
1994
AÑO DE CONSTRUCCION / PROJECT CONSTRUCTION:
1995-1996

The house is set on a hill facing the Andes Cordillera in the eastern section of the city. It is not usual in Santiago to have a hill slope falling towards the east and facing the cordillera. The city has a relatively continuous slope which drops from the cordillera towards the sea, from east to west. The place for the house is a hill which faces the cordillera from a high position, above the city.

This particular characteristic of the place is what originates the position of the house, its orientation, its forms, its openings. The house appears tied to the hill and the landscape. Inside, an arrival point is invented which disconnects the person from the landscape only to be led, later, back to the landscape by each one of the paths through the house.

The place could have a "bird's-eye" relationship with Santiago. Various houses in the neighborhood hang off the hill to obtain aerial views over the hills and over the city. In this case, the house is always tied to the land, the trees on the site and, through them, the landscape appears in the background. The house is absolutely inseparable from the ground on which it sits. The trees which surround it are litres, quillais and hawthorns, vernacular species from the hill and exclusively from this part of the world. These species also generate the position of the house and appear interposed between the interior and the distant landscape. Their presence from the inside is as inevitable as the sky, the clouds and the hills, only that they belong in the foreground, the private realm which surrounds the house.

The house is not placed upon the surface of the hill,

ALZADO OESTE / WEST ELEVATION

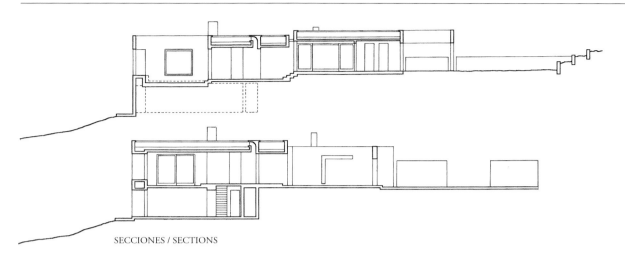

SECCIONES / SECTIONS

Referencias: 1- Acceso. 2- Acceso de servicio. 4- Hall-Recepción. 5- Estar-Salón. 6- Estar familiar. 8- Comedor. 9- Comedor diario. 10- Cocina. 12- Bodega. 13- Lavadero-Tendedero-Plancha. 19- Baño principal. 20- Baño. 21- Baño de servicio. 22- Dormitorio principal. 23- Dormitorio niños. 26- Dormitorio de servicio. 28- Vestidor. 31- Terraza. 37- Sala de máquinas. 38- Garaje-Cochera. 41- Patio. 43- Jardín.

References: 1- Entry. 2- Service Access. 4- Hall- Reception room. 5- Living room-salon. 6- Family room. 8- Dining room. 9- Breakfast room. 10- Kitchen. 12- Cellar. 13- Laundry-Hanger-Ironing. 19- Main bathroom. 20- Bathroom. 21- Service bathroom. 22- Main bedroom. 23- Children's bedroom. 26- Service bedroom. 28- Dressing room. 31- Terrace. 37- Machine room. 38- Garage-Carriage house. 41- Courtyard. 43- Garden.

vés de sus raíces, enquistada de forma inseparable. El cerro la envuelve y su presencia en la casa es fuerte como la de los árboles y el paisaje.

La vista a la ciudad se ha dejado en segundo plano. Como una sorpresa nocturna cuando la ciudad se transforma en una nube de luces infinitas. El gran lujo de la casa es el de estar en medio de la ciudad, enfrentada a la cordillera, sin sentir ni ver la presencia de la ciudad.

El lugar se encuentra en los faldeos bajos del Cerro Manquehue. El cerro va cambiando junto con las estaciones del año. En primavera es verde y exuberante. En verano se va tornando seco y de color pardo. En el otoño no tiene vegetación de follaje caduco que le dé tonalidades muy interesantes, más bien se hacen aparentes las formas y rocas del suelo. En invierno, con la llegada de las lluvias, nuevamente comienza a verdear.

La casa es precisa y breve en su lenguaje. Formas cúbicas y limpias. Casa patio y casa mirador. Muros de estuco blanco liso, pisos de madera y piedra. La casa recibe la luz y la refleja en el cerro de un modo que brilla en el paisaje que la rodea.

nor on a platform raised up in the air. It is tied intimately to the ground, anchored like a bush through its roots, inseparably embedded. The hill wraps around it and its presence in the house is as strong as that of the trees and the landscape.

The view of the city has been left in second place. Like a nocturnal surprise when the city becomes a cloud of infinite lights. The great luxury of the house is being in the middle of the city, facing the cordillera, without feeling or seeing the presence of the city.

The place is on the lower slopes of the Manquehue hill. The hill changes according to the seasons of the year. In summer it becomes dry and brown in color. In spring it is green and exuberant. In autumn it has no vegetation with leaves which change color to give interesting shades, the rocky shapes of the ground simply become more apparent. In winter, with the arrival of the rain, it begins to green again.

The house is precise and brief in its language. Cubic and clean shapes. Courtyard house and look-out house. Walls of smooth white stucco, wooden floors and stone. The house receives light and reflects it upon the hill in a manner which glimmers within the surrounding landscape.

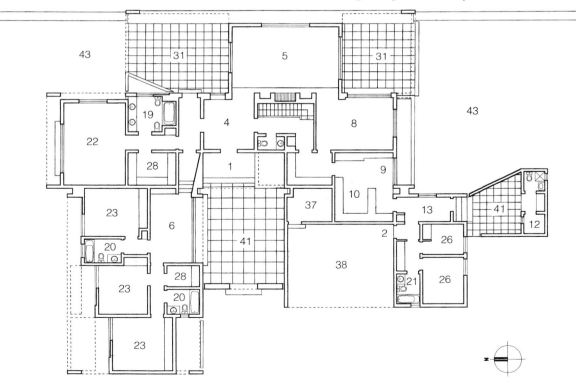

PLANTA / FLOOR PLAN

CASA IVELIC

IVELIC HOUSE

ARQUITECTOS / ARCHITECTS:
MURTINHO & ASOCIADOS
PEDRO MURTINHO, HUMBERTO ELIASH, RICARDO CONTRERAS,
SANTIAGO RABY, LUIS GONZALEZ
FOTOGRAFIAS / PHOTOGRAPHIES:
FERNANDO GANDARA
UBICACION / LOCATION:
EL ARRAYAN, LAS CONDES, CHILE
AREA DEL PROYECTO / BUILDING AREA:
184 m² / 1,967 S.F.
AÑO DEL PROYECTO / PROJECT DESIGN:
1988
AÑO DE CONSTRUCCION / PROJECT CONSTRUCTION:
1989

El proyecto da especial importancia a los actos de recorrido, "arquitecturizando" el abordamiento del edificio en la medida que el usuario se aproxima o se aleja de él. Ha sido la intención lograr que se vayan trasponiendo poco a poco los distintos ámbitos intermedios desde lo público a lo privado y viceversa. Es por ello que las terrazas, que conforman planos horizontales entre gradas, tienen un tamaño apropiado que permiten permanecer en ellas, obteniendo en cada nivel una percepción diferente del paisaje, a medida que se gana o pierde altura durante el recorrido secuencial.

Así, en principio, ideas tales como ejes, simetría planimétrica y regularidad en la ortogonalidad, no parecieran los más apropiados para una concepción que incluya la variedad, la sorpresa de impresiones, las transgresiones espaciales, etc. conceptos claramente señalados en las aspiraciones del cliente. Sin embargo, la geometría, con su valor abstracto, su universalidad, su gran poder de comunicación, su fácil legibilidad... nos ha parecido el elemento apropiado para superponerlo a una topografía irregular, a deslindes en ángulo y a una geografía, que aunque bella, se nos aparece como algo caótica e incomprensible al primer contacto.

The design gives special importance to the act of walking through, "architecturizing" the approach of the building according to how the user comes towards or moves away from it. The intention has been that the different intermediate rooms appear little by little as one moves from the public to the private realm and vice versa. That is why the terraces, which form horizontal planes between tiers, have an appropriate size which allows one to remain, obtaining on each level a different perception of the landscape, as one gains or loses height during the sequential path.

Therefore, initially, ideas such as axes, symmetrical plans and orthogonal regularity, would not seem the most appropriate for a concept which includes variety, surprise, spatial transgressions, etc. concepts clearly established in the clients requirements. Nevertheless, geometry, with its abstract value, its universality, its great power of communication, its easy legibility... has appeared as the appropriate element to superimpose upon an irregular topography, angled borders, and a geography which, though beautiful, appears as rather chaotic and incomprehensible on first contact.

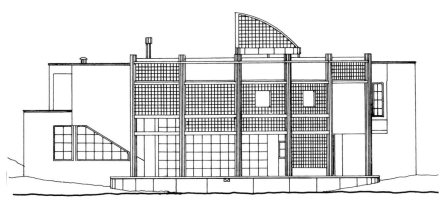

ALZADO SUR / SOUTH ELEVATION

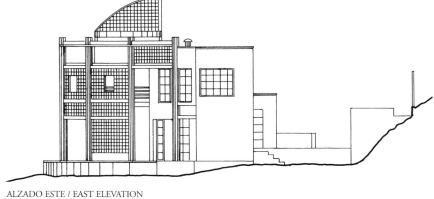

ALZADO ESTE / EAST ELEVATION

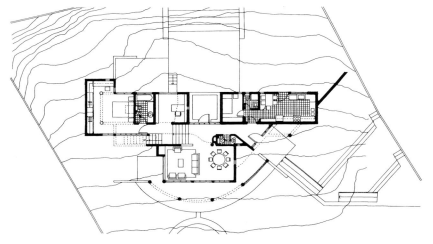

PLANTA BAJA / FIRST FLOOR PLAN

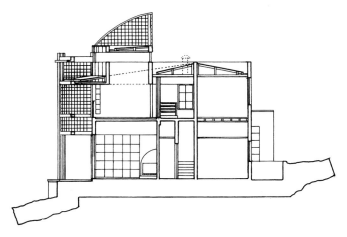

SECCION / SECTION

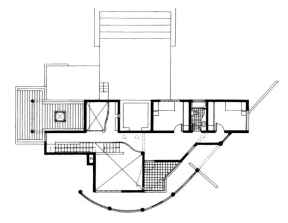

PLANTA PRIMER PISO / SECOND FLOOR PLAN

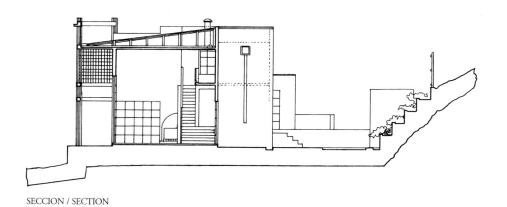

SECCION / SECTION

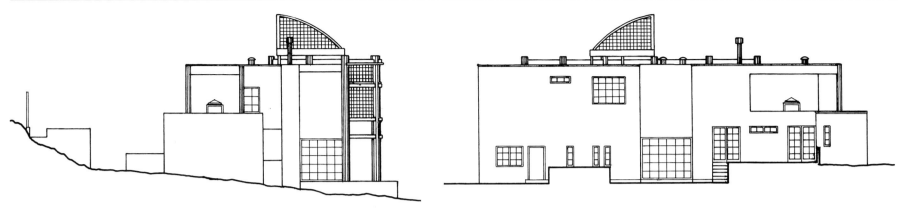

ALZADO OESTE / WEST ELEVATION

ALZADO NORTE / NORTH ELEVATION

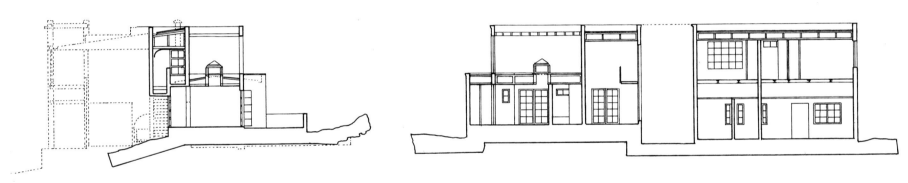

SECCION / SECTION

SECCION / SECTION

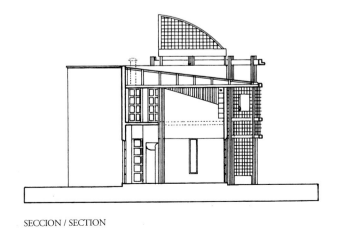

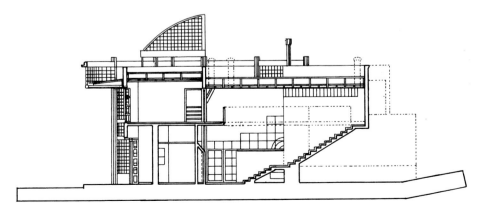

SECCION / SECTION

SECCION / SECTION

DOS CASAS EN EL CERRO SAN LUIS

TWO HOUSES ON THE SAN LUIS HILL

ARQUITECTOS / ARCHITECTS:
**ALFREDO FERNANDEZ RECART, MATIAS GONZALES RAST,
CRISTIAN VALDIVIESO RUIZ-TAGLE**
COLABORADORES / COLLABORATORS:
RAFAEL GATICA, JOSE JIMENEZ, INGENIEROS / ENGINEERS
CONSTRUCTOR / CONTRACTOR:
MENA Y OVALLE
FOTOGRAFIAS / PHOTOGRAPHIES:
JAVIER CATHALIFAUD
UBICACION / LOCATION:
**CALLE LAS PEÑAS 3202, CERRO SAN LUIS,
LAS CONDES, CHILE**
AREA DEL TERRENO / LOT AREA:
563 m² / 6,018 S.F.
AREA DEL PROYECTO / BUILDING AREA:
750 m² / 8,017 S.F.
AÑO DEL PROYECTO / PROJECT DESIGN:
1996
AÑO DE CONSTRUCCION / PROJECT CONSTRUCTION:
1996-1997

En un terreno estrecho y con una pendiente pronunciada, se ubica el proyecto cuyo encargo responde a dos familias con sus propias necesidades.

La singularidad del terreno, en la cima del Cerro San Luis, un cerro isla, con una ubicación privilegiada muy central del valle de Santiago, es que hacia el sur, es decir hacia la calle, su entorno es totalmente urbano, caracterizado por grandes muros continuos producto de la forma de ocupación del cerro. Hacia el norte, en cambio, elevándose un poco, se participa de un parque de gran extensión, el Club de Golf Los Leones, el perfil lejano de la ciudad, y la Cordillera de los Andes. De esta manera el proyecto tiene dos frentes: uno hermético, de muros, produciéndose entre el desfase de ellos, el acceso, los patios y las escaleras; y otro frente transparente, en el que la trama de los ventanales de madera le otorgan un juego de liviandad.

La condición de pendiente se hace patente por la horizontal del muro que define los accesos.

Poseyendo la cualidad de departamentos, se han trabajado para mantener el carácter de casa, tanto en su desarrollo de niveles como en la espacialidad de sus recintos y su relación con el exterior.

A través de un ascensor se llega a las casas, cuyo desarrollo es en varios niveles entrecruzados.

En ambos casos se accede a un hall vidriado donde se vive la última presencia de la ciudad. Luego, el estar, escritorios, dormitorios se abren al parque.

El edificio está compuesto por dos volúmenes articulados en su parte media por un ventanal vertical y rematado por un plano horizontal de hormigón visto. Horizontalidad y verticalidad como líneas guías frente a la diagonal del suelo.

On a very narrow site with a very steep slope, we find this project commissioned by two families, each with their own needs.

The singular characteristic of the site, on the top of the San Luis hill, an island hill, with a privileged location very central in the Santiago valley, is that towards the south, that is towards the street, its surroundings are totally urban, characterized by large continuous walls product of the way in which the hill has been occupied. Towards the north, on the other hand, rising a little, it participates in a large park, the Los Leones Golf Club, the distant profile of the city, and the Andes Cordillera. In this way the project has two frontages: one is hermetic, of walls which produce between them the entrance, the courtyards and the stairs; and the other frontage which is transparent, with a light play of timber windows.

The sloping condition is highlighted by the horizontallity of the wall which defines the entrances.

Being essentially apartments, they have been designed in such a way as to maintain a house-like character, both in the development of levels and in the spatiality of their rooms and their relationship with the exterior.

The houses are reached by an elevator, which spans various intercrossing levels.

In both cases one enters a glazed hall where one perceives the presence of the city for the last time. Once inside, the living room, studies, and bedrooms all open onto the park.

The building is composed by two volumes articulated in the middle by a vertical window and topped by a horizontal plane in exposed concrete. Horizontality and verticality as guidelines against the diagonal line of the land.

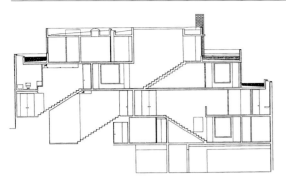

SECCION / SECTION

ALZADO NORESTE / NORTH-EAST ELEVATION

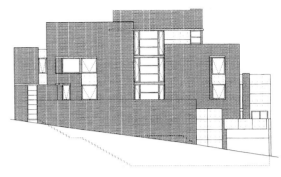

ALZADO SUROESTE / SOUTH-WEST ELEVATION

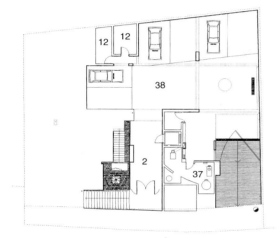

PLANTA SUBSUELO / SUBSOIL PLAN

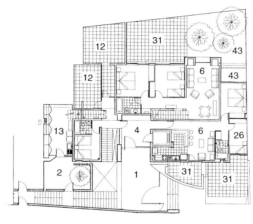

PLANTA BAJA / FIRST FLOOR PLAN

Referencias: 1- Acceso. 2- Acceso de servicio. 3- Vestíbulo. 4- Hall-Recepción. 6- Estar familiar. 8- Comedor. 9- Comedor diario. 10- Cocina. 12- Bodega. 13- Lavadero-Tendedero-Plancha. 16- Estudio-Escritorio-Atelier. 18- Sala de juegos. 19- Baño principal. 22- Dormitorio principal. 26- Dormitorio de servicio. 29- Hueco-Vacío. 31- Terraza. 37- Sala de máquinas. 38- Garaje-Cochera. 43- Jardín. 44- Fuente.

References: *1- Entry. 2- Service Access. 3- Hall. 4- Hall-Reception room. 6- Family room. 8- Dining room. 9- Breakfast room. 10- Kitchen. 12- Cellar. 13- Laundry-Hanger-Ironing. 16- Study-Office-Atelier. 18- Playroom. 19- Main bathroom. 22- Main bedroom. 26- Service bedroom. 29- Hollow-Void. 31- Terrace. 37- Machine room. 38- Garage-Carriage house. 43- Garden. 44- Fontain.*

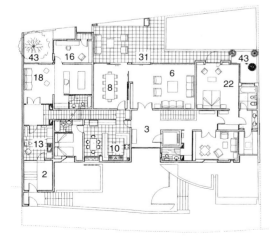

PLANTA PRIMER PISO / SECOND FLOOR PLAN

PLANTA SEGUNDO PISO / THIRD FLOOR PLAN

PLANTA MANSARDA / ATTIC PLAN

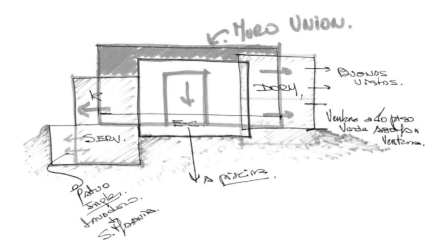

Ubicada en un terreno irregular de esquina, con muy buena vista y vegetación, la casa está orientada para aprovechar las vistas, el sol y la luz.

Se accede a la misma a través de un patio de piedras que lleva a la entrada principal. La planta es longitudinal y está enfatizada por un muro de piedra que es centro y eje de la misma. La entrada y los espacios interiores generan una continua experiencia de luz, agua y color, creando diferentes ambientes para el estar-comedor, circulación área privada y área de servicio. Todos estos espacios permanecen abiertos al exterior con la intención de incorporar el paisaje.

Se puso especial atención en el juego volumétrico y en la orientación de los muros en orden de aprovechar al máximo las propiedades de transfiguración de la luz.

CASA VOVARD

VOVARD HOUSE

ARQUITECTA / ARCHITECT:
GABRIELA BARRIONUEVO
UBICACION / LOCATION:
COUNTRY CLUB NEWMAN
AREA DEL TERRENO / LOT AREA:
1.400 m² / 14,966 S.F.
AREA DEL PROYECTO / BUILDING AREA:
420 m² / 4,490 S.F.
AÑO DEL PROYECTO / PROJECT DESIGN:
1997
AÑO DE CONSTRUCCION / PROJECT CONSTRUCTION:
1997-1998

Located on an irregular corner site, with a very good view and vegetation, the house is placed in such a way as to take advantage of the views, the sun and the light.

The house is accessed through a stone courtyard which leads to the main entrance. The floor plan is longitudinal and emphasized by a stone wall which establishes the center and the axis. The entrance and interior spaces generate a continuous experience of light, water and color, creating different recincts for the living-dining room, circulation, private area and service area. All these spaces remain open to the outside with the intention of incorporating the landscape.

Special attention was given to the play of volumes and the alignment of the walls in order to take best advantage of the properties of transfiguration of light.

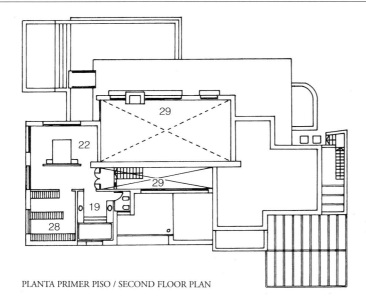

PLANTA PRIMER PISO / SECOND FLOOR PLAN

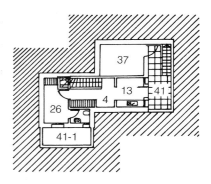

PLANTA SOTANO / BASEMENT PLAN

Referencias: 1- Acceso. 4- Hall-Recepción. 5- Estar-Salón. 8- Comedor. 9- Comedor diario. 10- Cocina. 13- Lavadero-Tendedero-Plancha. 16- Estudio-Escritorio-Atelier. 19- Baño principal. 20- Baño. 22- Dormitorio principal. 25- Dormitorio. 26- Dormitorio de servicio. 28- Vestidor. 29- Hueco-Vacío. 35- Piscina. 37- Sala de máquinas. 39- Galería. 41- Patio.

References: 1- Entry. 4- Hall-Reception room. 5- Living room-Salon. 8- Dining room. 9- Breakfast room. 10- Kitchen. 13- Laundry-Hanger-Ironing. 16- Study-Office-Atelier. 19- Main bathroom. 22- Main bedroom. 25- Bedroom. 26- Service bedroom. 28- Dressing room. 29- Hollow-Void. 35- Swimming pool. 37- Machine room. 39- Gallery. 41- Courtyard.

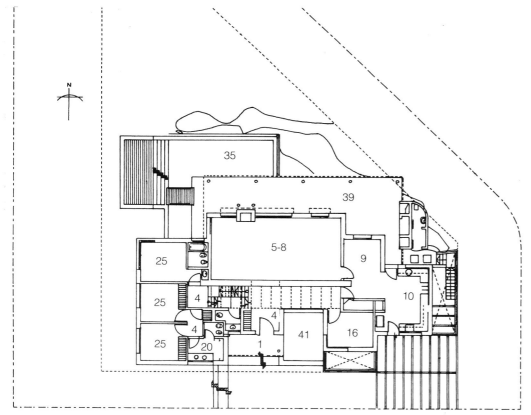

PLANTA BAJA / FIRST FLOOR PLAN

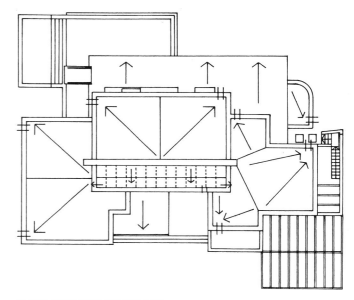

PLANTA DE TECHOS / ROOFS PLAN

144

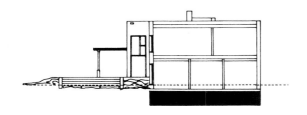

SECCION / SECTION

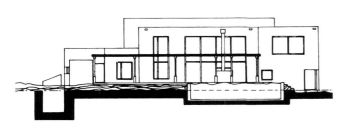

ALZADO NORTE / NORTH ELEVATION

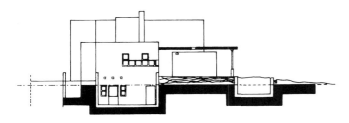

ALZADO ESTE / EAST ELEVATION

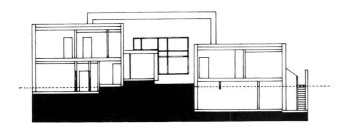

SECCION / SECTION

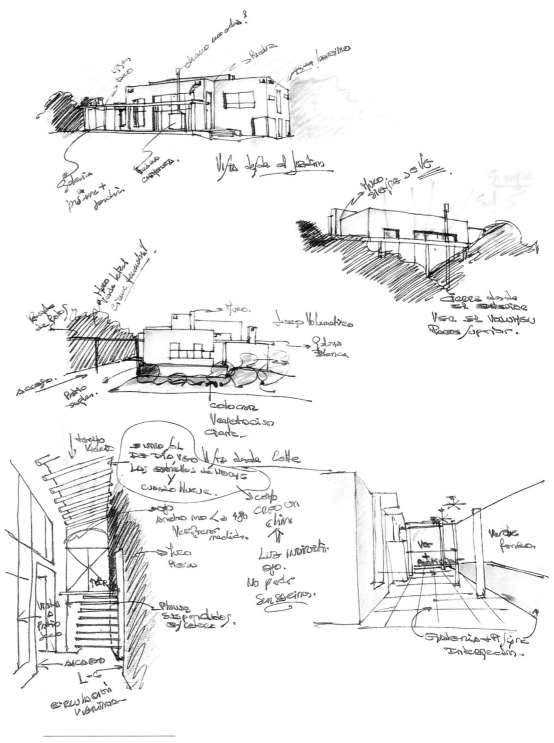

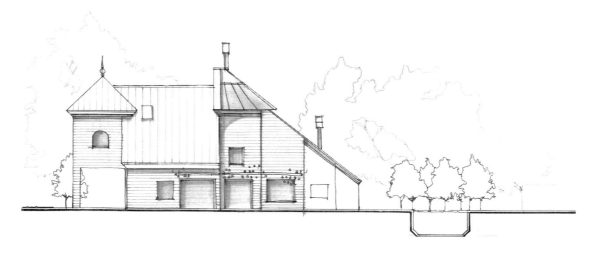

Vivienda destinada a una familia tipo con tres hijos jóvenes. Si bien el terreno es reducido, uno de los límites –volcado al noroeste y a un espacio común– favorece a su buena orientación, logrando un apreciado espacio verde. Por otra parte, la pradera del lugar, interrumpida por un cañadón, permite aún más disfrutar de las visuales del terreno.

El diseño de la casa trata de lograr un equilibrio con su entorno, proponiendo además identificar el corazón de la misma con un hito que se conecta a un racimo de altos espacios.

La estructura, de base circular, traslada a sus habitantes una energía que se procura rescatar en este diseño. Apoyando esta tensión con juegos de luces, sombras y visuales directas a las verdes praderas, se crea un clima de paz y reposo: la fuente de luz natural que cambia a cada hora durante todo el día, variando con las estaciones es la que da vida a todos los grandes espacios.

CASA EN PRADERAS DE LUJAN

HOUSE IN PRADERAS DE LUJAN

ARQUITECTOS / ARCHITECTS:
OSCAR CHRISTIN , OSCAR LANDI
FOTOGRAFIAS / PHOTOGRAPHIES:
PABLO MAINARDI
UBICACION / LOCATION:
CLUB CAMPOS DE GOLF LAS PRADERAS DE LUJAN, BUENOS AIRES / LAS PRADERAS DE LUJAN GOLF CLUB, BUENOS AIRES
AREA DEL PROYECTO / BUILDING AREA:
180 m² / 1,924 S.F.
AÑO DEL PROYECTO / PROJECT DESIGN:
1995

A house destined for a typical family with three young children. Although the site is small, one of its borders, facing towards the northeast and onto a common area, favors the good orientation, highly appreciating the green space. On the other hand, the meadow of the development, interrupted by a canyon, allows the views to be enjoyed even further.

The design of the house tries to establish an equilibrium with the environment, also proposing the identification of its core by means of a landmark which connects with a cluster of high spaces.

The structure, upon a circular base, transmits to its inhabitants an energy which this design seeks to reflect. Highlighting this tension with a play of light, shadows and direct views onto the green meadows, a peaceful and restful atmosphere is created: the source of natural light which changes by the hour throughout the day, varying with the seasons, is what breathes life into all the large spaces.

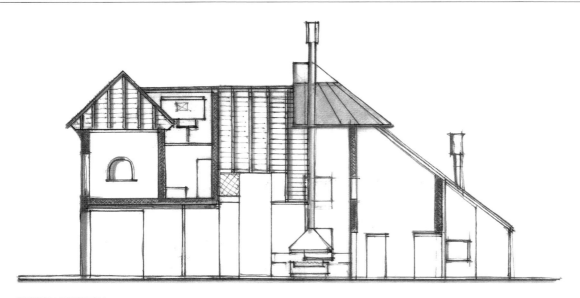

SECCION / SECTION

PLANTA DE TECHOS / ROOFS PLAN

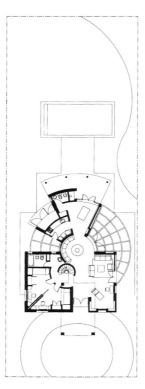

PLANTA BAJA /
FIRST FLOOR PLAN

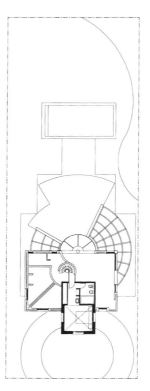

PLANTA PRIMER PISO /
SECOND FLOOR PLAN

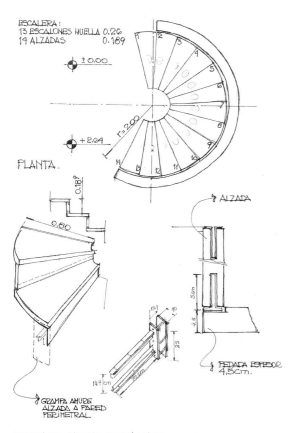

DETALLE ESCALERA / STAIR DETAIL

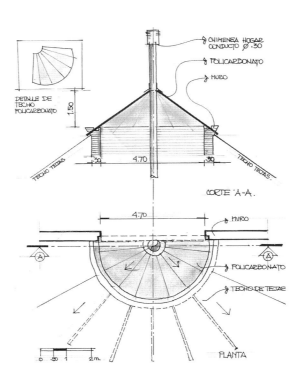

DETALLE TECHO SOBRE HOGAR /
DETAIL OF ROOF ABOVE FIREPLACE

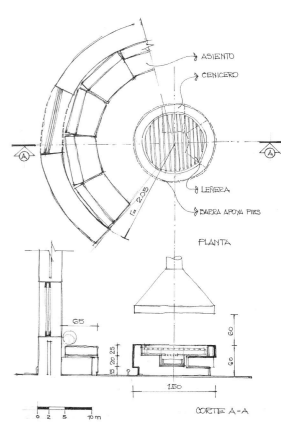

DETALLE HOGAR / FIREPLACE DETAIL

La casa, ubicada en un amplio lote, da sobre el campo de golf en su frente interno. Su diseño tuvo en cuenta un esquema muy particular: debía funcionar como casa de fin de semana de los padres y como vivienda permanente del hijo, preservando los principios de pluralidad y privacidad requeridos por ambos.

Concebida como dos casas en un solo cuerpo, el proyecto permite el funcionamiento independiente de cada una. Están unidas en el ingreso principal a través de un hall común –punto de encuentro de dos fuertes ejes de simetría en los que se apoya el diseño–. Desde allí se distribuyen las circulaciones a los diferentes ambientes: casa de los padres, casa del hijo y un gran espacio central *gazebo* (conformado por un cuadrado rotado sobre su eje).

Las viviendas se interconectan en el exterior a través de un sendero cubierto por pérgolas. Estas parten del estar de cada casa en forma de galería cubierta, y se conectan con el deck del *gazebo* central.

El conjunto fue emplazado ubicando los ambientes principales hacia la cancha de golf, privilegiando las vistas más óptimas y la mejor orientación noreste.

CASA STAMBOULIAN

STAMBOULIAN HOUSE

ARQUITECTOS / ARCHITECTS:
ESTUDIO FERRONI ARQUITECTOS / ARCHITECTS
VICENTE FERRONI, ARQUITECTO / ARCHITECT
COLABORADORES / COLLABORATORS:
ADRIANA MICCELI, MARIA M. PAVESA,
MACARENA BARON SUPERVIELLE, ARQUITECTAS / ARCHITECTS
LUCIANO FERRONI
AMBIENTACION / INTERIOR DESIGNER:
GRACIELA GARAT
FOTOGRAFIAS / PHOTOGRAPHIES:
LUIS ABREGU, LUCIANO FERRONI
UBICACION / LOCATION:
CLUB DE CAMPO ARMENIA, BUENOS AIRES/
ARMENIA COUNTRY CLUB, BUENOS AIRES
AREA DEL PROYECTO / BUILDING AREA:
710 m² / 7,590 S.F.
AÑO DEL PROYECTO / PROJECT DESIGN:
1997-1998

The house, located on a large site, overlooks the golf course along its internal frontage. The design incorporated a very unusual condition: it had to function as a week-end house for the parents and as a permanent home for the son, preserving the principles of plurality and privacy required by both.

Conceived as two houses within one body, the project allows each one to function independently. They are connected at the main entrance through a common hall –intersection point of two strong symmetrical axes upon which the design is based–. From there, the circulations to the different rooms extend: parents' house, son's house and a large central *gazebo* space (conformed by a square rotated upon its axis).

The houses are interlinked outside by a path covered by pergolas. These originate at the living room of each house in the form of a roofed gallery, and are connected with the deck of the central *gazebo*.

The complex was placed locating the main rooms towards the golf course, privileging the best views and the northeast orientation.

ALZADO / ELEVATION

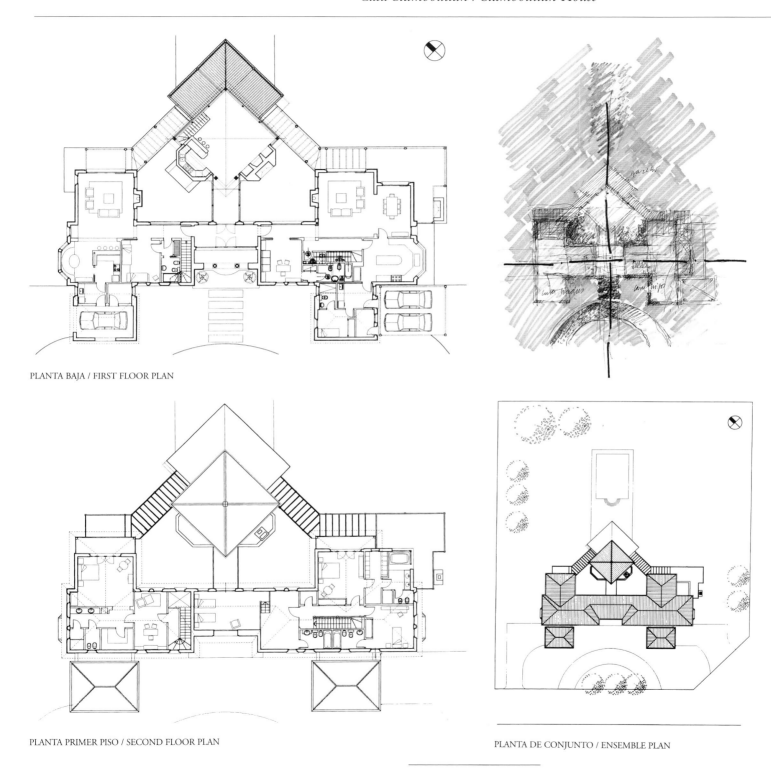

PLANTA BAJA / FIRST FLOOR PLAN

PLANTA PRIMER PISO / SECOND FLOOR PLAN

PLANTA DE CONJUNTO / ENSEMBLE PLAN

SECCION / SECTION

ALZADO / ELEVATION

SECCION / SECTION

ALZADO / ELEVATION

ALZADO / ELEVATION

SECCION / SECTION

La casa destinada para una familia –un matrimonio y dos hijas que vivirán en forma permanente en la misma– está ubicada en un country a pocos minutos de la ciudad capital.

En un lote de esquina, la casa se diseñó en una tira, buscando el noreste (considerada la mejor orientación) y paralela a la calle principal, quedando la mayor parte del terreno con sus expansiones hacia el fondo. El otro lateral se limitó con plantas y construcciones metálicas, que generan sombras y conectan la casa con la piscina en el extremo opuesto.

La superficie cubierta se distribuye en un sector público en planta baja, un sector más privado de dormitorios y escritorios en el primer piso y el entrepiso.

En el estar los tres niveles se comunican entre sí, generándose un espacio donde se perciben las tres dimensiones de la casa.

Se materializa con una estructura de hormigón y mampostería y el techo de chapa con estructura de madera, tratando de racionalizar las costumbres constructivas de la región.

CASA EN SAN JORGE COUNTRY CLUB

HOUSE IN SAN JORGE COUNTRY CLUB

ARQUITECTOS / ARCHITECTS:
JUAN FONTANA, NORBERTO PIVA
CALCULO ESTRUCTURAL / STRUCTURAL CALCULATION:
CURUTCHET - DEL VILLAR
FOTOGRAFIAS / PHOTOGRAPHIES:
DANIELA MAc ADDEN
UBICACION / LOCATION:
SAN JORGE COUTNRY CLUB, BUENOS AIRES
AREA DEL PROYECTO / BUILDING AREA:
350 m² / 3,741 S.F.
AÑO DEL PROYECTO / PROJECT DESIGN:
1993
AÑO DE CONSTRUCCION / PROJECT CONSTRUCTION:
1994

The house, destined for a family –a couple with two daughters who will live there permanently– is located in a country club a few minutes away from the federal capital.

On a corner site, the house was designed as a strip, facing the northeast (considered the best orientation) and parallel to the main road, leaving most of the plot as free expansion area towards the rear. The other side was materialized with plants and metal structures, which generate shadows and connect the house with the swimming pool at the opposite end.

The built floor area is distributed between a public area on ground floor, and a more private sector of bedrooms and studies on the first floor and mezzanine.

In the living room the three levels are communicated, generating a space where the three dimensional character of the house can be perceived.

It is built with a concrete and masonry structure and a metal roof on a timber frame, trying to rationalize the traditional building techniques of the region.

ALZADO SOBRE CALLE PRINCIPAL / ELEVATION ONTO MAIN STREET

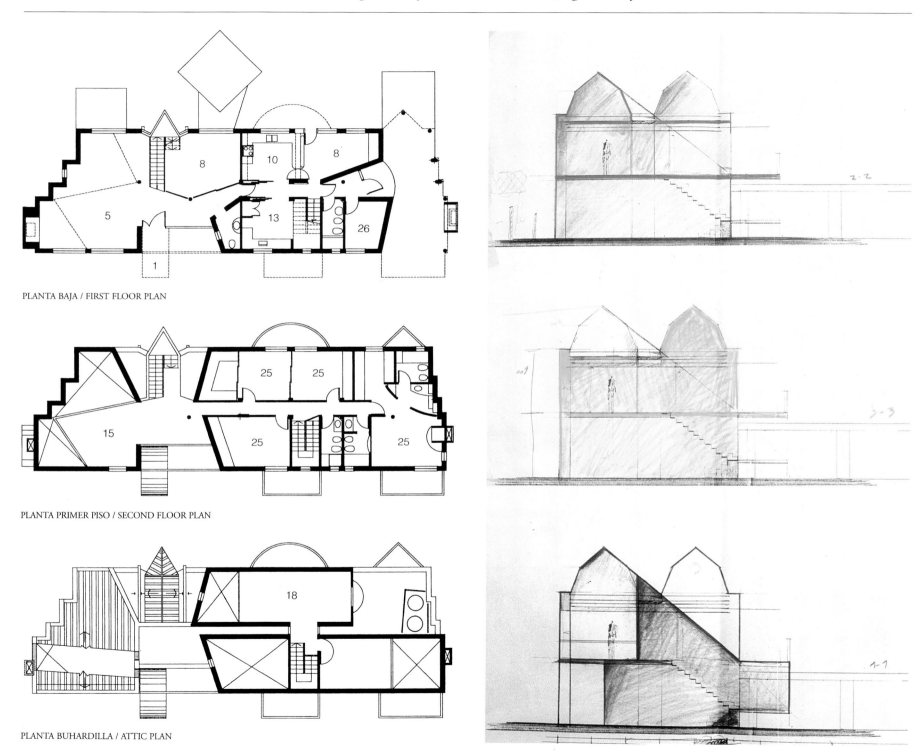

PLANTA BAJA / FIRST FLOOR PLAN

PLANTA PRIMER PISO / SECOND FLOOR PLAN

PLANTA BUHARDILLA / ATTIC PLAN

PLANTA DE CONJUNTO / ENSEMBLE PLAN

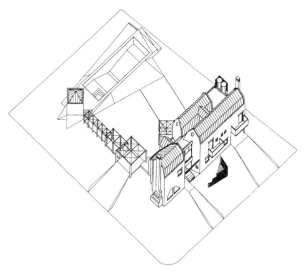

AXONOMETRICA / AXONOMETRIC

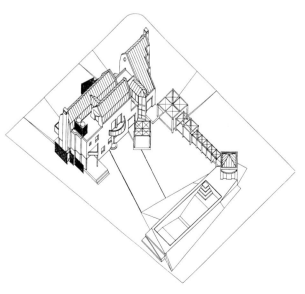

AXONOMETRICA / AXONOMETRIC

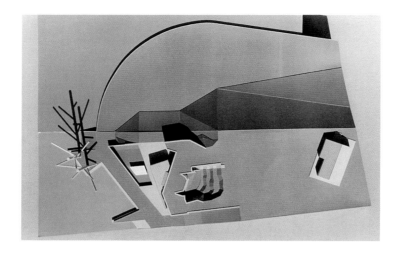

El terreno, lindero al lago San Roque, muestra un fuerte desnivel sobre la costa. Vegetación de gran porte y un chalet existente contiguo al ingreso desde la calle, ubica a la vivienda permanente de un matrimonio que recibe a sus hijos y familias en ese lugar. Se deseaba que ambas viviendas tuvieran los mismos privilegios de visuales sobre el lago y la sierra –un sitio donde la topografía, la cercanía del agua y un horizonte que sugiere una continuidad intemporal– por lo cual se decidió potenciar el esquema de esta doble lectura.

Al tomar en cuenta los tres planos horizontales vinculados sin interrupción –el parque, la vivienda y el agua– el partido adoptado fue diseñar una casa semi-enterrada sobre el desnivel del terreno en la costa del lago, considerando estas tres instancias.

Un objeto delicadamente incrustado en el paisaje, enterrado pero transparente, idea de abrigo instantáneo en medio de una naturaleza que, sin embargo, lo aborda libremente; sensaciones irreales con reflejos que transforman a los cristales en espejos desdoblando imágenes, objetos y presencias.

Refugio que deviene en terraza en la que se puede sentar y soñar.

Deliberada neutralidad en el ingreso desde tierra, referente claro llegando desde el agua.

CASA EN EL LAGO

HOUSE ON THE LAKE

ARQUITECTOS / ARCHITECTS:
GRAMATICA / GUERRERO / MORINI / PISANI / URTUBEY ARQS. S.R.L.
FOTOGRAFIAS / PHOTOGRAPHIES:
SUSANA PEREZ, JOSE A. PEREZ
UBICACION / LOCATION:
PUERTO DIEGO, VILLA CARLOS PAZ, CORDOBA
AREA DEL TERRENO / LOT AREA:
2.700 m² / 28,863 S.F.
AREA DEL PROYECTO / BUILDING AREA:
250 m² / 2,672 S.F.
AÑO DE CONSTRUCCION / PROJECT CONSTRUCTION:
1994-1995

The site, beside the San Roque lake, displays a strong slope towards the shore. Large scale vegetation and an existing chalet adjacent to the street entrance, establish the setting for the permanent home of a married couple who receive their children here with their respective families. The requirement was that both houses should have the same privileges regarding views over the lake and hills –a site where the topography, the proximity of the water and a horizon which suggests a timeless continuity– due to which the decision was taken to reinforce this duality.

Taking into account the three horizontal planes, fluidly connected –the park, the house and the water– the design adopted was a house partially buried in the slope of the land, on the lake shore, considering these three instances.

An object delicately imbedded in the landscape, buried but transparent, the idea of instant shelter in the midst of a nature which, nevertheless, freely approaches it; unreal sensations with reflections which transform the glazing into mirrors, doubling up images, objects and presences.

Refuge which becomes a terrace on which one can sit and dream.

Deliberate neutrality at the entrance by land, clear referent arriving from the water.

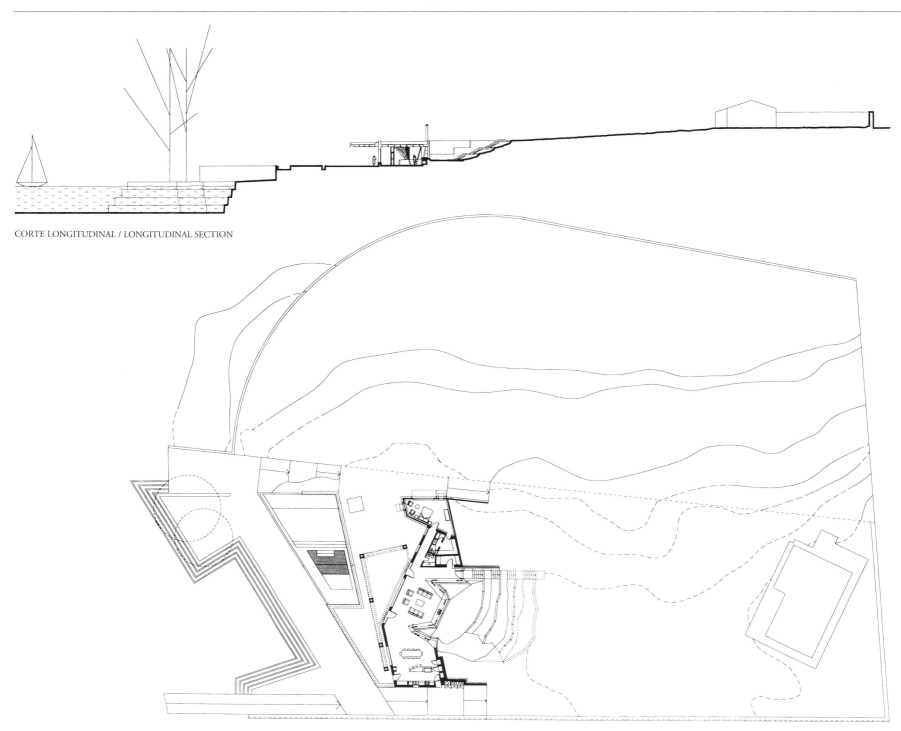

CORTE LONGITUDINAL / LONGITUDINAL SECTION

PLANTA DE SITIO / SITE PLAN

La obra encargada surge de un concurso entre muy pocos estudios, donde se entregó a cada uno el programa funcional y una selección de cien imágenes conceptuales extraídas de revistas y libros de arquitectura.

Cada imagen destilaba un particular interés en la sabia relación Arquitectura/Sitio, la conformación del espacio positivo, la ambigüedad producto del proceso, la carga emocional del paso del tiempo... Todas elegidas deliberadamente para establecer un intangible arquitectónico: el estado de ánimo.

El programa debía completarse con una consulta interna en la familia: ella disfruta de los museos, él es fanático del aire libre –golfista– y los chicos estudian y viajan.

El común denominador se identificó como el Sitio Arqueológico, que remite a misterio, descubrimiento, eternidad, materialidad, intemporalidad, permanencia y sus expresiones tipológicas: pasillo-laberinto, fuego-calor; terraza-mirador; agua-reflejo; cobijo-caverna.

Este sitio en particular, apenas el lugar de emplazamiento de la casa, es la última barranca sobre las tierras bajas del Río Luján, mediatizados por la cancha de golf, y más allá, el Delta.

Y la casa no es mucho más que la cruza entre "estado de ánimo" y "sitio", interactuados y mimetizados hasta potenciarse expresivamente.

La verificación queda en la interpretación del que la observa.

CASA EN COUNTRY CLUB NEWMAN

HOUSE IN NEWMAN COUNTRY CLUB

ARQUITECTOS / ARCHITECTS:
HAMPTON - RIVOIRA
A CARGO / IN CHARGE:
ESTEFANIA MAI, ARQUITECTA / ARCHITECT
PAISAJISTA / LANDSCAPIST:
DOROTEA SCHULTZ
ESCULTURA / SCULPTURE:
OMAR ESTELA, ESCULTOR / SCULPTOR
FOTOGRAFIAS / PHOTOGRAPHIES:
DANIELA MAc ADDEN
UBICACION / LOCATION:
COUNTRY CLUB NEWMAN, BUENOS AIRES
AREA DEL PROYECTO / BUILDING AREA:
APROX. 580 m² / APPROX. 6,200 S.F.
AÑO DEL PROYECTO / PROJECT DESIGN:
1996
AÑO DE CONSTRUCCION / PROJECT CONSTRUCTION:
1997-1998

The commission arises from a competition between very few practices, where each one was given a functional program and a selection of one hundred conceptual images taken from architectural magazines and books.

Each image distilled a particular concern in the wise relationship architecture/site, the conforming of positive space, the ambiguity produced by the process, the emotional weight of the passage of time... All chosen deliberately to establish an architectural vagueness: the frame of mind.

The program had to be completed with an internal family consultation: she enjoys museums, he is a lover of open air –golf player– and the children study and travel.

The common denominator was identified as the Archaeological Site, which refers to mystery, discovery, eternity, materiality, timelessness, permanence and its typological expressions: corridor-labyrinth, fire-heat, terrace-lookout, water-reflection, shelter-cave.

This particular site, merely the place where the house is inserted, is the last slope above the lowlands of the River Luján, mediated by the golf course and, beyond, the Delta.

And the house is not much more than a combination of "frame of mind" and "site", interacting and mimicking each other until they become expressively potent.

The interpretation of the observer shall be its verification.

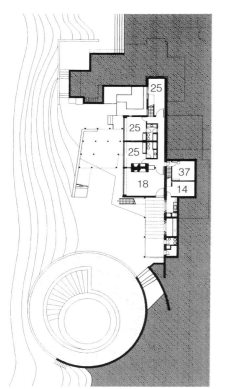

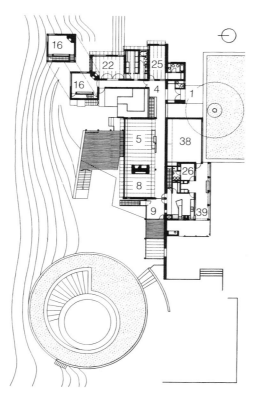

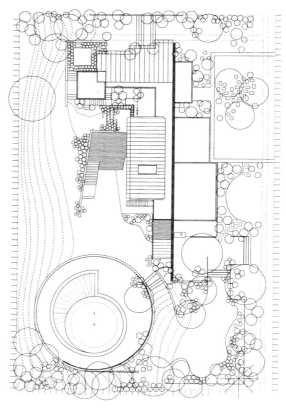

PLANTA BAJA / FIRST FLOOR PLAN

PLANTA PRIMER PISO / SECOND FLOOR PLAN

PLANTA DE CONJUNTO / ENSEMBLE PLAN

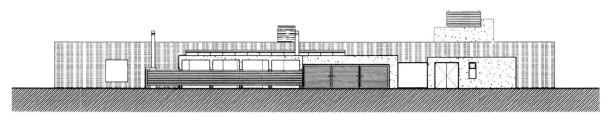

ALZADO SUR / SOUTH ELEVATION

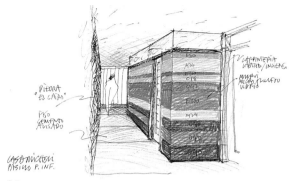

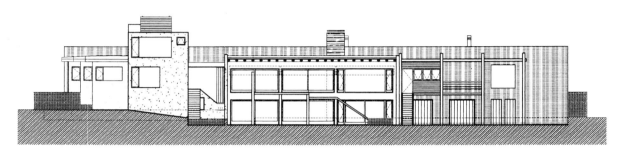

ALZADO NORTE / NORTH ELEVATION

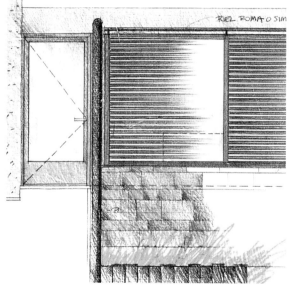

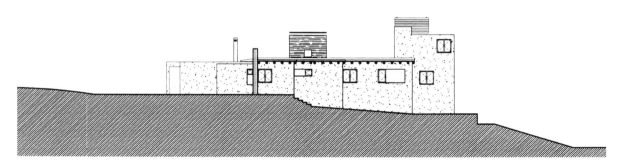

ALZADO ESTE / EAST ELEVATIO

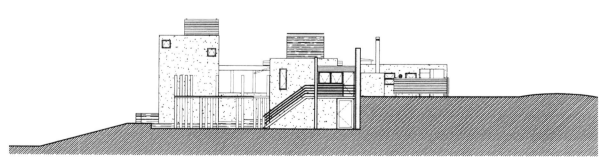

ALZADO OESTE / WEST ELEVATION

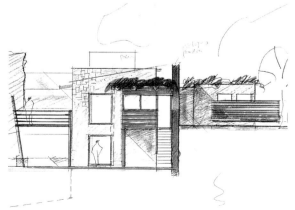

CASA EN HIGHLAND PARK COUNTRY CLUB

HOUSE IN HIGHLAND PARK CONTRY CLUB

ARQUITECTOS / ARCHITECTS:
**H. SISKIND / R. SMULEVICI / O. WAINSTEIN-KRASUK,
ESTUDIOS ASOCIADOS / ASSOCIATED PRACTICES**
CONSTRUCTOR / CONTRACTOR:
DE CESPEDES & ASOC.
FOTOGRAFIAS / PHOTOGRAPHIES:
AUTHIER / SCHEVACH
UBICACION / LOCATION:
HIGHLAND PARK COUNTRY CLUB, DEL VISO, BUENOS AIRES
AREA DEL TERRENO / LOT AREA:
2.000 m² / 21,380 S.F.
AREA DEL PROYECTO / BUILDING AREA:
330 m² / 3,528 S.F.
AÑO DEL PROYECTO / PROJECT DESIGN:
1996
AÑO DE CONSTRUCCION / PROJECT CONSTRUCTION:
1996-1997

A partir de la premisa de los propietarios de diseñar una vivienda funcional con una lectura de ladrillo visto y techo de tejas, el desafío fue crear un espacio interior donde la luz adquiriera un valor protagónico.

Se trabajó con volúmenes muy definidos, con sobrios detalles en la mampostería que crean juegos de luces y sombras que enfatizan la volumetría.

La lectura de piel apenas perforada en el frente de la vivienda se modifica en el contrafrente, abierto al paisaje.

Por su parte, el volumen de dos plantas tiene un espacio central de doble altura cenitalmente vidriado, creando un efecto invernadero donde la vegetación irá tomando un rol preponderante.

Planteada como un espacio que fluye hacia el exterior, cada rincón de la vivienda establece su propio diálogo con la naturaleza. Nada es casual. Los opuestos de materiales fríos y cálidos, brillos y opacidades, vidrios y maderas, luces y sombras, conforman una ambientación cambiante a lo largo del día y la noche, creando situaciones de alto impacto sensorial.

Based on the owners' requirement to design a functional home in exposed brickwork and a tiled roof, the challenge was to create an interior space in which light would acquire a leading role.

The design was developed with very clear volumes, with sober detailing of the brickwork creating a play of light and shadow, highlighting the composition.

The image of a scarcely perforated skin at the front of the house changes at the rear facade, opening onto the landscape.

On the other hand, the two level volume has a double height central space lit from above, creating a winter garden effect in which the vegetation will acquire an important role.

Proposed as a space which flows towards the outside, each corner of the house establishes its own dialogue with nature. Nothing is casual. The opposition of cold and warm materials, shiny and opaque surfaces, glazing and wood, light and shadow, conform an environment which changes through day and night, creating situations of a strong impact on the senses.

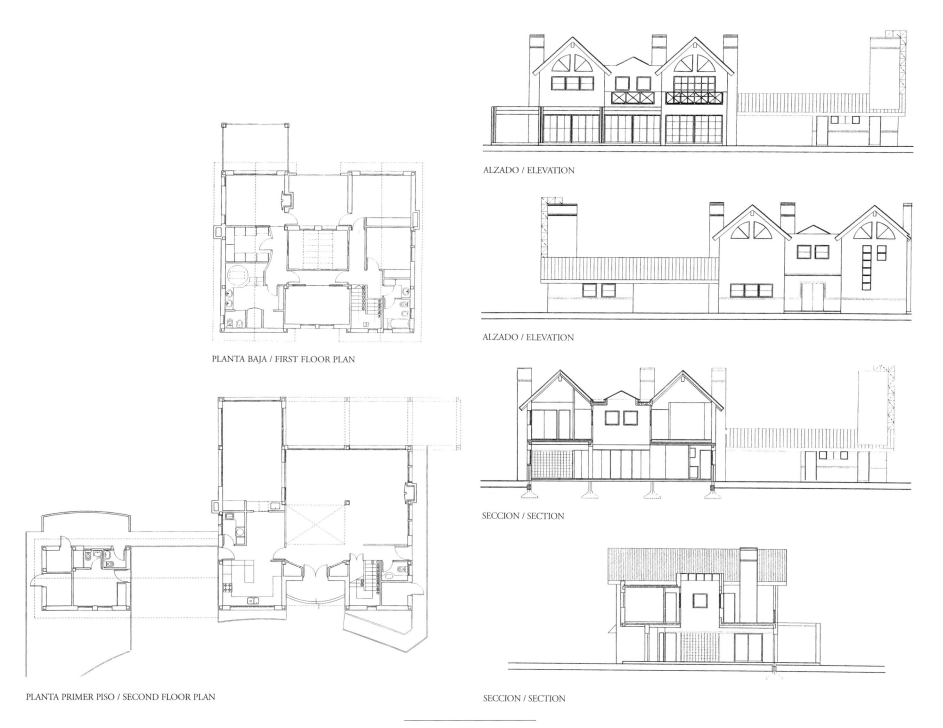

PLANTA BAJA / FIRST FLOOR PLAN

ALZADO / ELEVATION

ALZADO / ELEVATION

SECCION / SECTION

PLANTA PRIMER PISO / SECOND FLOOR PLAN

SECCION / SECTION

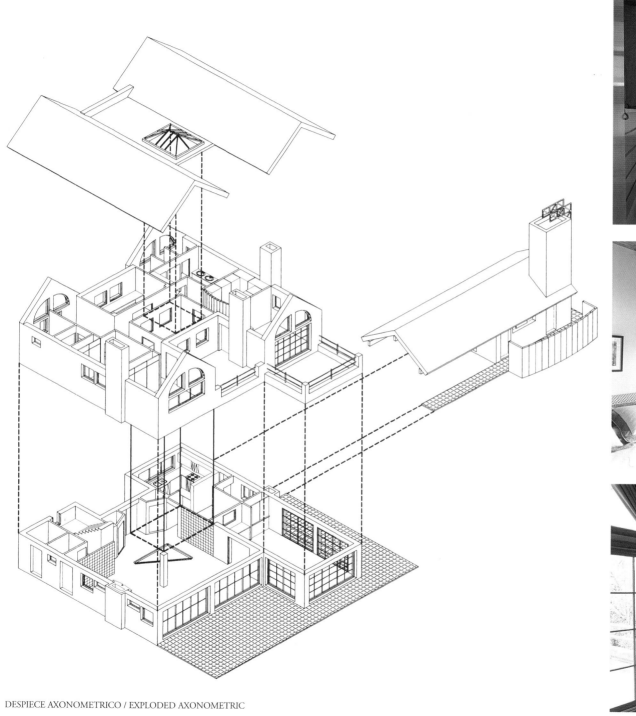

DESPIECE AXONOMETRICO / EXPLODED AXONOMETRIC

❑ Casa y barranca se funden y se separan, al conformar visuales y espacios exteriores diversos y singulares, como expansión de las distintas funciones. El cuerpo de dormitorios define el borde de la barranca generando un espacio exterior, delimitado por un talud bien orientado con privacidad al noroeste.

El estar-comedor y *play-room* delimitan un espacio de expansión exterior con galerías cubiertas y piscina en una ubicación alta de excelente orientación durante todo el día y con un amplio abanico de visuales. Estos dos cuerpos superpuestos y emplazados en forma de "L" se articulan por un vacío conector de doble altura que contiene la escalera.

La calle lateral delimitada por la cocina se constituye en otra alternativa espacial, concentrando los accesos peatonales y vehiculares, principal y de servicio, rematando el recorrido en el sector de estacionamiento y patio de servicio.

Exteriormente, las diversas visuales de la casa generan variantes volumétricas con una gran riqueza de perspectivas y situaciones.

CASA EN TALAR DE PACHECO

HOUSE IN TALAR DE PACHECO

ARQUITECTOS / ARCHITECTS:
LACROZE - MIGUENS - PRATI, ARQUITECTOS / ARCHITECTS
EDUARDO LACROZE, JOSE IGNACIO MIGUENS,
FRANCISCO PRATI, PABLO IGLESIAS MOLLI
FOTOGRAFIAS / PHOTOGRAPHIES:
GUSTAVO SOSA PINILLA, LUIS ABREGU
UBICACION / LOCATION:
CLUB DE CAMPO EL TALAR DE PACHECO, BUENOS AIRES /
EL TALAR DE PACHECO COUNTRY CLUB, BUENOS AIRES
AREA DEL PROYECTO / BUILDING AREA:
360 m² / 3,848 S.F.
AÑO DEL PROYECTO / PROJECT DESIGN:
1996
AÑO DE CONSTRUCCION / PROJECT CONSTRUCTION:
1997

House and slope merge and separate, conforming ❐❐ diverse and singular views and external spaces which are expansions of the different functions. The body of bedrooms defines the edge of the slope generating an external space, bordered by an incline and with good orientation and privacy towards the northwest.

The living-dining room and play-room border an external expansion space with covered galleries and swimming pool on a high level, excellent orientation throughout the day and a wide range of views. These two superimposed bodies, set in an "L" shape, are articulated by a connecting double height void which contains the staircase.

The side street bordered by the kitchen constitutes another spatial alternative, concentrating the pedestrian and vehicular, main and service entrances, ending at with the parking area and service courtyard.

Externally, the various views of the house generate volumetric variations, rich in perspectives and situations.

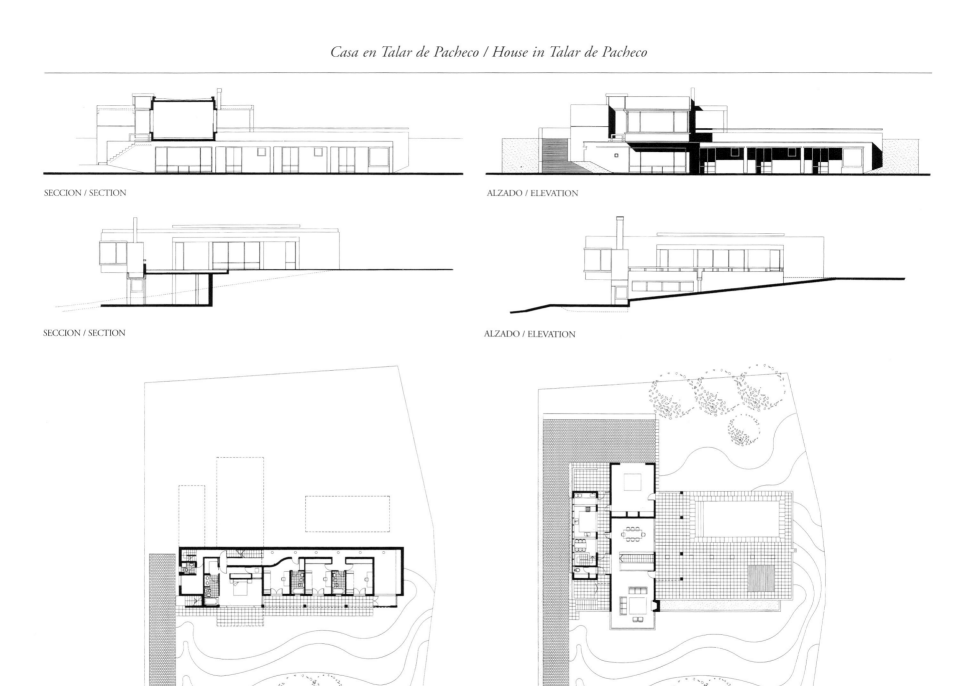

SECCION / SECTION

ALZADO / ELEVATION

SECCION / SECTION

ALZADO / ELEVATION

PLANTA DORMITORIOS / BEDROOMS PLAN

PLANTA ALTA / UPPER PLAN

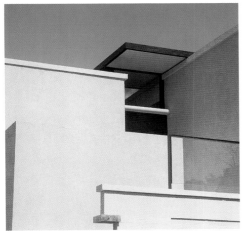

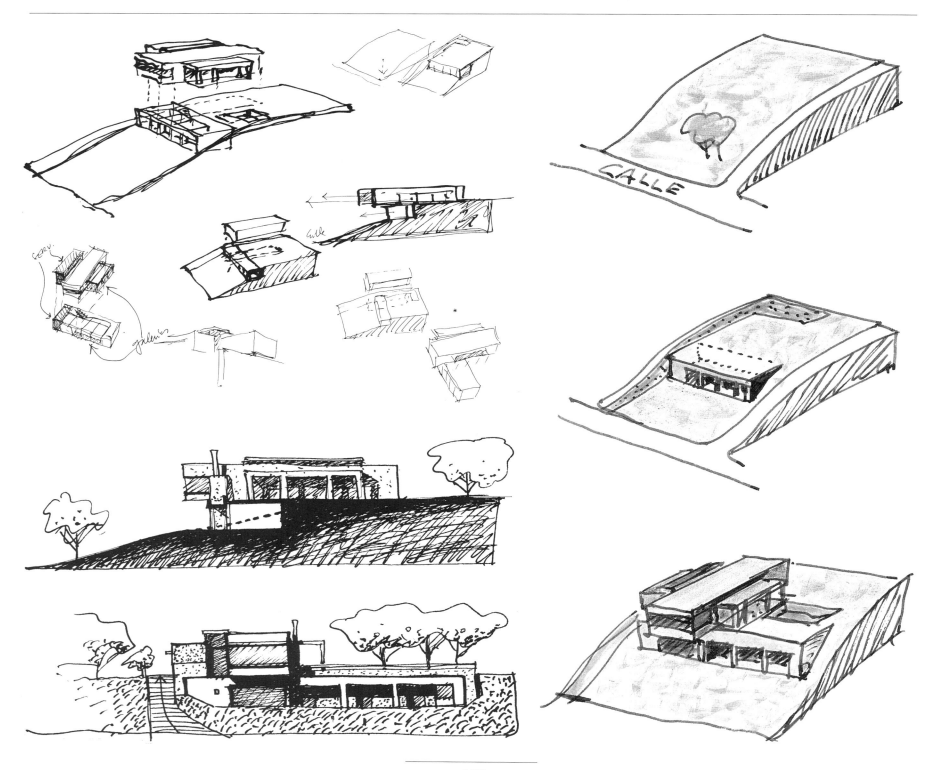

La vivienda se encuentra construida en un terreno con una leve pendiente hacia el arroyo Santa Clara, sobreelevada del suelo con un casetonado de hormigón.

El programa se resolvió en una sola planta, partiendo de una figura compacta y a través de sustracción se delimitaron los espacios semicubiertos. El proyecto se basó en módulos que se evidencian en lo constructivo y en los elementos de terminaciones.

Los ambientes principales están espacialmente conectados, delimitados sólo por muebles y cambios de altura en los cielorrasos. Desde estos ambientes y desde la cocina se accede a una galería exterior.

La madera es protagonista, en el interior, en pisos y en cielorrasos, carpinterías, lámparas y muebles, diseñados por el estudio y también en el exterior en barandas, rampas, escaleras y el deck de toda la galería.

Se buscaron amplias visuales, tanto hacia el parque, el arroyo como hacia el cielo. La piscina se ubicó próxima a la galería y se conecta visualmente al estar.

CASA EN COUNTRY CLUB LAS ACACIAS

HOUSE IN LAS ACACIAS COUNTRY CLUB

ARQUITECTOS / ARCHITECTS:
ADRIANA NANO, CLAUDIO ESPINDOLA
FOTOGRAFIAS / PHOTOGRAPHIES:
OSCAR NOGUEIRA
UBICACION / LOCATION:
COUNTRY CLUB LAS ACACIAS, MUÑIZ, BUENOS AIRES
AREA DEL PROYECTO / BUILDING AREA:
374 m² / 3,998 S.F.
AÑO DEL PROYECTO / PROJECT DESIGN:
1993-1994
AÑO DE CONSTRUCCION / PROJECT CONSTRUCTION:
1994-1995

The house is built on a site with a slight slope towards the Santa Clara stream, raised above the ground by a concrete coffered platform.

The program was resolved on one level only, working with a compact shape and forming the semi-enclosed spaces by substraction. The project was based on modules which are visible in the structure and in the finishes.

The main rooms are spatially connected, their limits established only by furniture and changes of ceiling level. Both these spaces and the kitchen open onto an external gallery.

Wood is the main protagonist: inside, on floors and ceilings, windows, lamps and furniture designed by the practice and also outside on railings, ramps, stairs and the deck throughout the gallery.

Wide views were sought, towards the garden, the stream and towards the sky. The swimming pool was located near the gallery and is visually connected with the living room.

ALZADO / ELEVATION

ALZADO / ELEVATION

Referencias: 1- Acceso. 4- Hall-Recepción. 5- Estar-Salón. 8- Comedor. 10- Cocina. 13- Lavadero-Tendedero-Plancha. 14- Depósito-Trastero. 16- Estudio-Escritorio-Atelier. 22- Dormitorio principal. 25- Dormitorio. 26- Dormitorio de servicio. 35- Piscina. 38- Garaje-Cochera. 39- Galería. 45- Parrilla-Barbacoa.

References: 1- Entry. 4- Hall-Reception room. 5- Living room-Salon. 8- Dining room. 10- Kitchen. 13- Laundry-Hanger-Ironing. 14- Store-Lumberroom. 16- Study - Office - Atelier. 22- Main bedroom. 25- Bedroom. 26- Service bedroom. 35- Swimming pool. 38- Garage-Carriage house. 39- Gallery. 45- Grill-Barbecue.

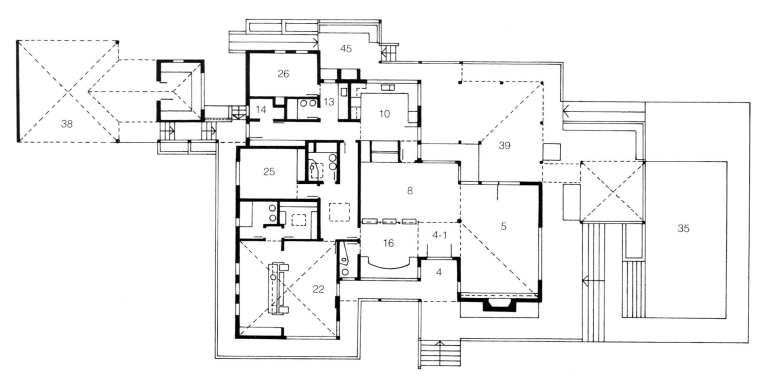

PLANTA / FLOOR PLAN

En una zona costera del sur de la provincia de Buenos Aires, la vivienda se desarrolló sobre dos lotes unificados, que presentan un desnivel de 4,5 m desde el contrafrente a la calle, situación que permite una amplia perspectiva desde el punto central del lote, elegida para su emplazamiento.

El paisaje, el respeto por la topografía y la forestación son las pautas que sumadas al programa definen el partido adoptado: un esquema de planta en cruz latina cuyo eje mayor coincide con el del nivel principal. Muros y cubierta se abren en puntos estratégicos para enmarcar el paisaje y captar luces diversas, multiplicando las perspectivas entre el bosque-parque y el interior de la casa.

El acceso principal se ubica en medio del eje mayor; lateralmente, un patio permite llegar a la cocina, que se abre hacia una zona del bosque dejada en estado natural, y se conecta al quincho-parrilla. Completa el conjunto una pequeña vivienda para caseros "excavada" en el médano que forma parte de su cubierta, dejando al edificio fuera de las vistas principales.

CASA EN CARILO

HOUSE IN CARILO

ARQUITECTO / ARCHITECT:
RAUL ALBERTO FERNANDEZ
FOTOGRAFIAS / PHOTOGRAPHIES:
JOSE IPALAGUIRRE
UBICACION / LOCATION:
CARILO, BUENOS AIRES
AREA DEL TERRENO / LOT AREA:
3.088 m² / 33,011 S.F.
AREA DEL PROYECTO / BUILDING AREA:
278 m² / 2,972 S.F.
AÑO DEL PROYECTO / PROJECT DESIGN:
1996
AÑO DE CONSTRUCCION / PROJECT CONSTRUCTION:
1996-1997

In a coastal area to the south of the province of Buenos Aires, the house was developed upon two unified plots, which present a difference in level of 15 feet between the rear border and the street. This situation allows a wide perspective from the central point of the plot, which was chosen for placing the house.

The landscape, the respect for the topography and trees are the elements which, added to the program, establish the design adopted: a floor plan in the shape of a cross with the long axis coinciding with that of the main floor. Walls and roof open at strategic points to frame the landscape and capture different light conditions, multiplying the lines of vision between the woods-garden and the inside of the house.

The main entrance is located in the middle of the main axis; on the side, a courtyard gives access to the kitchen, which opens towards a section of the woods which was left in its natural state, and also connects with the barbecue area. The complex is completed by a small house for the caretakers which has been "dug" into the dune which forms part of its roof, excluding the building in this way from the main views.

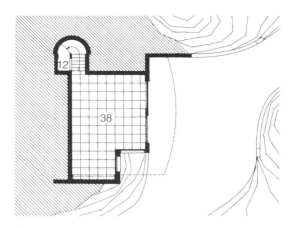

PLANTA COCHERA / CARRIAGE HOUSE PLAN

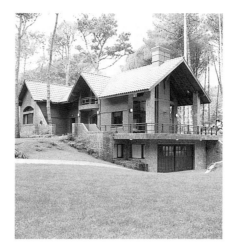

Referencias

1- Acceso
4- Hall-Recepción
5- Estar-Salón
8- Comedor
10- Cocina
12- Bodega
15- Bliblioteca
25- Dormitorio
28- Vestidor
29- Hueco-vacío
30- Balcón
31- Terraza
38- Garaje-Cochera
41- Patio
45- Parrilla-Barbacoa

References

1- *Entry*
4- *Hall-Reception room*
5- *Living room-Salon*
8- *Dining room*
10- *Kitchen*
12- *Cellar*
15- *Library*
25- *Bedroom*
28- *Dressing room*
29- *Hollow-Void*
30- *Balcony*
31- *Terrace*
38- *Garage-Carriage house*
41- *Courtyard*
45- *Grill-Barbecue*

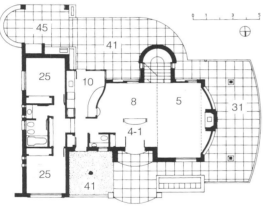

PLANTA BAJA / FIRST FLOOR PLAN

PLANTA PRIMER PISO / SECOND FLOOR PLAN

RESIDENCIA LUCIA GOMES

LUCIA GOMEZ RESIDENCE

ARQUITECTO / ARCHITECT:
ALEXANDRE ESTEVES SANT'ANNA
FOTOGRAFIAS / PHOTOGRAPHIES:
GUILHERME LLANTADA, EDUARDO AIGNER
UBICACION / LOCATION:
AV. ESPANHA Nº 1326, BAGE / R.S.
AREA DEL TERRENO / LOT AREA:
5.000 m² / 53,450 S.F.
AREA DEL PROYECTO / BUILDING AREA:
380 m² / 4,062 S.F.
AÑO DEL PROYECTO / PROJECT DESIGN:
1991
AÑO DE CONSTRUCCION / PROJECT CONSTRUCTION:
1993

Producir arquitectura significa traducir al diseño elementos que componen el arte, que integra hombre y espacio. Este arte, que requiere de dominio técnico, busca la belleza concebida en el diseño y materializada en la obra. La residencia precisa traducir elementos en los que el espacio interno tiene la dimensión del "sentirse bien" y debe, sobre todo, estar caracterizado y humanizado.

La arquitectura producida por Alexandre Sant'Anna crea una residencia en la que la lógica muestra sus sorpresas. Volúmenes rectangulares destacados por un juego de elementos, implantados en una amplia área, no se pierden en ese gran espacio. El conjunto de pórticos nos lleva al foco principal: la morada. La planta traduce simplicidad, en la que la circulación, al tangenciar los ambientes, proporciona claridad al llegar a cada espacio. La circulación no se propone como un eje, pués se puede ingresar en ella sin tener la sensación de principio y fin. Los espacios poseen detalles que no sólo traducen los condicionantes de la arquitectura, sino que son elementos articulados que otorgan valor al uso armónico de lo formal, lo funcional y lo técnico. La escalera, que abraza al elemento cilíndrico, el tratamiento de las alturas interiores, el uso de ladrillos, la luz que se proyecta y refleja una sensación confortable. Las puertas se abren y cierran sin crear quiebres o bloqueos. Tenemos una obra arquitectónica en la que el arquitecto no hace concesiones a los modismos, sino que sitúa su obra en la dimensión exacta: el hombre y los espacios integrados.

Jane Costa Schnor.
Arquitecta. Profesora de la Faculdade de Arquitetura e Urbanismo da Univ. da región da Campanha (URCAMP)-Bagé.

To produce architecture means translating to the design elements which compose art, which integrate man and space. This art, which requires a technical knowledge, seeks the beauty conceived in the design and materialized in the building. A residence must translate elements in which internal space has the dimension of "feeling good" and must, above all, be characterized and humanized.

The architecture produced by Alexandre Sant'Anna creates a residence in which logic displays its surprises. Rectangular volumes highlighted by a play of elements, set within a wide area, do not appear lost in that large space. The group of porticoes leads us to the main focus: the dwelling. The floor plan expresses a simplicity in which the circulation, tangent to the rooms, provides clarity on the arrival at each space. The circulation is not proposed as an axis, as one can enter it without the feeling of beginning and end. The spaces contain details which not only reflect architecture's conditioning factors, but are also articulated elements which highlight the harmonious use of formal, functional and technical aspects. The stair, which wraps around the cylindrical element, the treatment of internal heights, the use of bricks, the light which is projected and reflects a comfortable situation. The doors open and close without creating bends or blocking. We have an architectural work in which the architect makes no concession to mannerisms, but rather places his project in the precise dimension: man and integrated spaces.

Jane Costa Schnor.
Architect. Professor of the Faculty of Architecture and Urban Design of the Univ. da região da Campanha (URCAMP) -Bagé.

ALZADO / ELEVATION

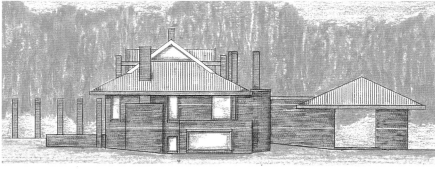

ALZADO / ELEVATION

Referencias: 1- Acceso. 2- Acceso de servicio. 3- Vestíbulo. 5- Estar-Salón. 8- Comedor. 9- Comedor diario. 10- Cocina. 13- Lavadero-Tendedero-Plancha. 16- Estudio-Escritorio-Atelier. 19- Baño principal. 20- Baño. 21- Baño de servicio. 22- Dormitorio principal. 23- Dormitorio niños. 26- Dormitorio de servicio. 28- Vestidor. 29- Hueco-Vacío. 30- Balcón. 33- Sauna. 34- Solario. 38- Garaje-Cochera.

References: 1- Entry. 2- Service Access. 3- Hall. 5- Living room-Salon. 8- Dining room. 9- Breakfast room. 10- Kitchen. 13- Laundry-Hanger-Ironing. 16- Study-Office-Atelier. 19- Main bathroom. 20- Bathroom. 21- Service bathroom. 22- Main bedroom. 23- Children's bedroom. 26- Service bedroom. 28- Dressing room. 29- Hollow-Void. 30- Balcony. 33- Sauna. 34- Solarium. 38- Garaje-Carriage house.

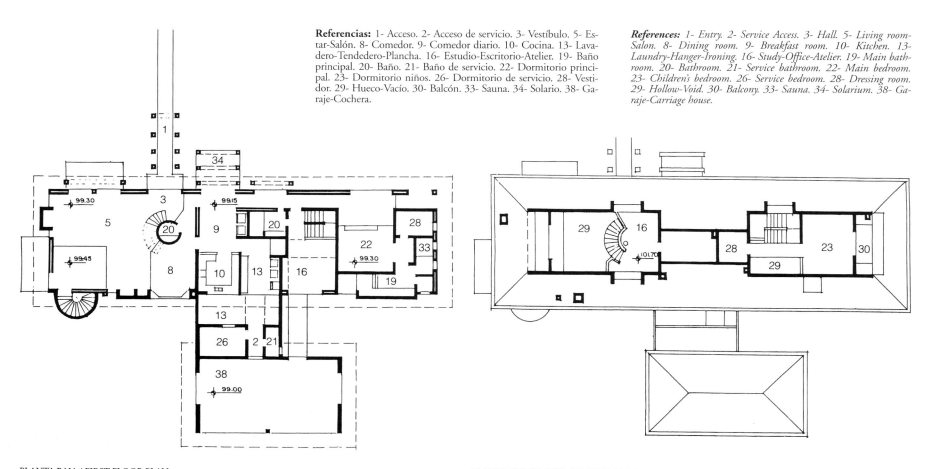

PLANTA BAJA / FIRST FLOOR PLAN

PLANTA PRIMER PISO / SECOND FLOOR PLAN

Los barrios de la ciudad de Porto Alegre situados hacia el norte de la región metropolitana, son ocupados predominantemente por las actividades productivas de la capital. Curiosamente en esta región, a partir de un loteo realizado con normas específicas para las edificaciones, fue creado el barrio Lindoia, en el que su zonificación rígida aseguró el nivel edilicio pretendido por sus creadores, y hoy está plenamente ocupado y consolidado.

La residencia Márcia Pereira está situada en un sector destinado a las edificaciones unifamiliares, en las proximidades de la plaza central y del club del barrio. El terreno es un cuadrado de 30 m de lado. El deseo de los propietarios de construir hasta las medianeras, sumado al retiro frontal obligatorio por el Plan Director para jardines, y el jardín en la parte restante del terreno, condicionó al partido general, determinando la ocupación del terreno según tres franjas paralelas: jardín semipúblico al frente, el rectángulo de construcción en el medio y el jardín privado al fondo. El desafío de este proyecto constituyó en solucionar plásticamente el paralelepípedo con cubierta a dos aguas resultante de las directrices adoptadas. Esto se hizo con gran propiedad a partir de la creación de una macrotextura, donde entrantes y salientes, con volumetrías y materiales variados, transformaron lo que podría tener el aspecto de un pabellón en un conjunto rico y creativo, de soluciones bien detalladas. El pequeño desnivel del terreno, hizo propicia la existencia de tres niveles en el interior de la edificación, en la que la cocina y las áreas de servicio en general se sitúan en el nivel intermedio y, desde allí, con pequeños desplazamientos verticales, es posible llegar hasta los sectores

RESIDENCIA MARCIA PEREIRA

MARCIA PEREIRA RESIDENCE

ARQUITECTAS / ARCHITECTS:
HELENA KARPOUZAS, STEFANI NOHEL PAZ
PAISAJISTA / LANDSCAPIST:
HELENA SHANZER, ING. AGRONOMA / AGRICULTURAL ENG.
CONSTRUCTOR / CONTRACTOR:
EDIBA S.A. EDIFICAÇÕES
FOTOGRAFIAS / PHOTOGRAPHIES:
EDUARDO AIGNER, GUILHERME LLANTADA
UBICACION / LOCATION:
RUA ASSUNÇÃO 70, PORTO ALEGRE
AREA DEL TERRENO / LOT AREA:
900 m² / 9,620 S.F.
AREA DEL PROYECTO / BUILDING AREA:
488 m² / 5,217 S.F.
AÑO DEL PROYECTO / PROJECT DESIGN:
1990
AÑO DE CONSTRUCCION / PROJECT CONSTRUCTION:
1991-1995

The neighborhoods of the city of Porto Alegre, to the north of the metropolitan region, are occupied predominantly by the capital's productive activities. Curiously, the Lindoia neighborhood was created in this region, by means of a subdivision into plots and the establishment of specific building regulations. Its rigid zoning ensured the building level intended by its creators, and today it is fully occupied and consolidated.

The Márcia Pereira residence is located in a section destined for one-family homes, close to the central plaza and local club. The site is a square, 98,5 feet each side. The owners' wish to build upto the party walls, together with the obligatory set-back from the road established by the Directive Plan for gardens, and the garden in the remaining section of the site, conditioned the general concept, establishing the occupation of the plot in three parallel strips: semi-public garden at the front, the built rectangle in the middle and the private garden at the back. The challenge of this project consisted in plastically resolving the volume with a gabled roof which resulted from the adopted directions. This was done with great propriety on the basis of the creation of a macrotexture, where ins and outs, with volumes and variation of materials, transformed what could look like a pavilion into a rich and creative composition, with well detailed solutions. The slight slope of the site favored the existence of three levels in the interior of the building, in which the kitchen and service areas in general are located on the intermediate level and, from there, with small vertical movements, it is possible to reach the social and private sectors. The movement of the facades and the level changes brought to the interior of the build-

SECCION TRANSVERSAL / TRANSVERSAL SECTION

SECCION LONGITUDINAL / LONGITUDINAL SECTION

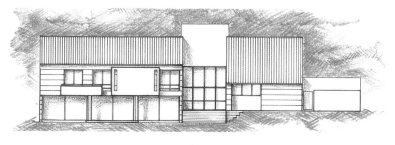

ALZADO SUR / SOUTH ELEVATION

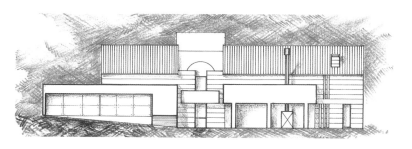

ALZADO NORTE / NORTH ELEVATION

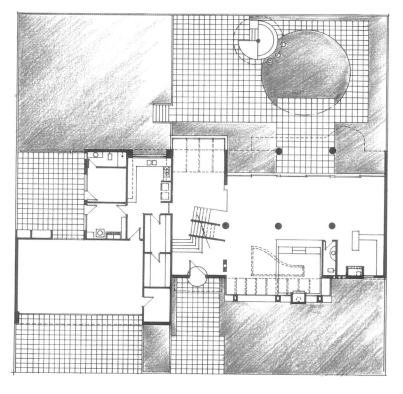

PLANTA BAJA / FIRST FLOOR PLAN

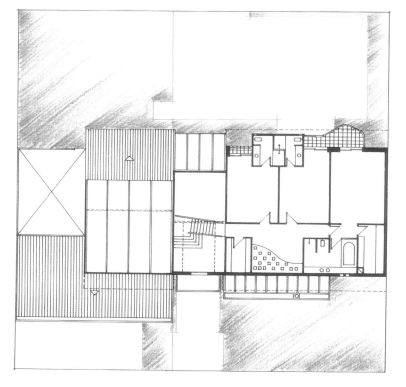

PLANTA PRIMER PISO / SECOND FLOOR PLAN

social e íntimo. Los movimientos de las fachadas y los desniveles trajeron hacia el interior de la edificación iguales posibilidades y recursos en la creación de ambientes plásticamente ricos y articulados volumétricamente entre sí y con el exterior, especialmente al conjunto de éstos con el jardín posterior y con la piscina. Hay en el interior una gran preocupación con la microtextura, fruto de un cuidadoso detallamiento. Difícilmente un cielorraso o una pared dejó de recibir un tratamiento capaz de volver a cada parte una pieza con valores propios y de conjunto. Merece destacarse la solución encontrada para las paredes situadas en las medianeras donde, mediante un ingenioso retiro en los frontones, fue posible resaltar la cubierta, creando una alternativa volumétrica para las paredes ciegas. El blanco utilizado en todas las mamposterías, intención de proyecto, resalta los volúmenes y las bien definidas aristas, demarcadoras de los planos, recordando el neorracionalismo formal, donde el color seguramente desfiguraría la idea inicial.

Moacyr Moojen Marques.
Arquitecto y urbanista. Supervisor de planeamiento urbano y gerente del Plan Director en la Prefeitura (Alcaldia) de Porto Alegre. Docente emérito de Urbanismo en la Faculdade de Arquitetura da Universidade Federal do Rio Grande do Sul. Actividad profesional liberal en arquitectura y urbanismo desde 1955.

ing the same possibilities and resources in the creation of plastically rich spaces volumetrically articulated with each other and with the outside, specially to the group of these with the back garden and the swimming pool. Inside there is great concern for the micro-texture, the result of careful detailing. Rarely did a ceiling or a wall not receive a treatment capable of converting each part into a piece with value in itself and as a part of the whole. We must point out the solution found for the walls located on the party lines, by means of an ingenuous setback of the gables it was possible to make the roof more prominent, and create a volumetric alternative for the blank walls. The white used on all the masonry, an intention of the project, highlights the volumes and the precise edges, which outline the planes, recalling formal neo-rationalism, where the color would surely disfigure the initial idea.

Moacyr Moojen Marques.
Architect and urban designer. Supervisor of urban planning and manager of the Directive Plan in the *Prefeitura de Porto Alegre*. Professor emeritus of Urbanism in the Faculty of Architecture of the *Universidade Federal do Rio Grande do Sul*. Liberal professional activity in architecture and urbanism since 1955.

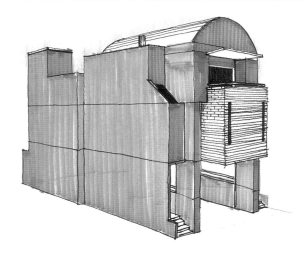

CASA QUINTINO

QUINTINO HOUSE

ARQUITECTO / ARCHITECT:
MARCEL EDMUNDO SCHACHER
FOTOGRAFIAS / PHOTOGRAPHIES:
EDUARDO AIGNER, GUILHERME LLANTADA
UBICACION / LOCATION:
RUA QUINTINO BACAIUVA N° 299, PORTO ALEGRE
AREA DEL TERRENO / LOT AREA:
162 m² / 1,732 S.F.
AREA DEL PROYECTO / BUILDING AREA:
275 m² / 2,940 S.F.
AÑO DEL PROYECTO / PROJECT DESIGN:
1996
AÑO DE CONSTRUCCION / PROJECT CONSTRUCTION:
1996

La principal estrategia proyectual adoptada en esta casa, tiene mucho que ver con los procedimientos compositivos característicos del "hôtel" barroco. Tanto allá como aquí, en un terreno de forma irregular son creadas secuencias espaciales inductoras de percepciones del edificio, que nos llevan a imaginarlo regular y simétrico. En el caso de esta casa, un bloque rectangular ocupa la mayor parte del terreno, mientras que el espacio que resta entre éste y los muros laterales, es ocupado por masas construidas de menor altura e importancia. A partir de allí; el proyecto sigue sus propios caminos, destacándose una serie de adiciones (el volumen de los sanitarios, el altillo) y sustracciones (la cochera). El hecho de que se trata de una residencia situada en un barrio denso y con gran variedad de actividades explica, por un lado, su distribución espacial, que ubica la zona de servicios en planta baja, dejando al estar en el *"piano nobile"* y los dormitorios en el piso más alejado de la calle. Por otro lado, explica el vocabulario formal empleado, que tiende hacia la abstracción, alejándose del sentimentalismo característico de los proyectos residenciales construidos en Porto Alegre en las últimas décadas.

Edson Cunha Mahfuz.
Arquitecto. Profesor titular de proyectos y coordinador del Maestrado en Arquitectura en la Faculdade de Arquitetura da Universidade Federal do Rio Grande do Sul. Doctorado en Arquitectura en la University of Pennsylvania (EE.UU.). Autor del libro *"Ensaio sobre a razão compositiva"*.

The main design strategy adopted in this house has a lot to do with the compositional procedures typical of the baroque "hôtel". Both there and here, in an irregularly shaped plot, spatial sequences are created which induce perceptions of the building that lead us to imagine it regular and symmetrical. In the case of this house, a rectangular block occupies most of the site, whilst the space which remains between this block and the side walls is occupied by built volumes of reduced height and importance. From here on, the project follows its own course, noticeably a series of additions (the volume of the bathrooms, the attic) and subtractions (the carport). The fact that it is a residence located in a dense neighborhood with a great variety of activities explains, on the one hand, its spatial distribution, which places the service areas on first floor, leaving the living room on the *piano nobile* and the bedrooms on the floor furthest from the street. On the other hand, it explains the formal vocabulary used, which tends towards abstraction, distancing itself from the sentimentalism which characterizes the residential projects built in Porto Alegre during the last decades.

Edson Cunha Mahfuz.
Architect. Professor of projects and Coordinator of the Masters in Architecture in the Faculty of Architecture of the *Universidade Federal do Rio Grande do Sul*. Doctorate in Architecture in the University of Pennsylvania (USA). Author of the book *"Ensaio sobre a razão compositiva"*.

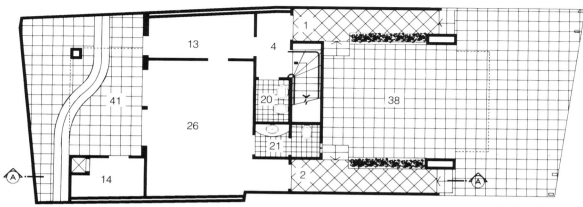

PLANTA BAJA / FIRST FLOOR PLAN

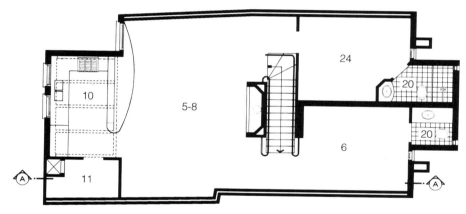

PLANTA PRIMER PISO / SECOND FLOOR PLAN

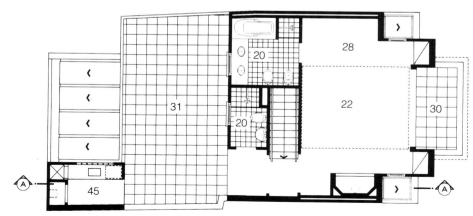

PLANTA DE TECHOS / ROOFS PLAN

Referencias
1- Acceso
2- Acceso servicio
4- Hall
5- Estar
6- Estar familiar
8- Comedor
10- Cocina
11- Despenza
13- Lavadero
14- Depósito
20- Baño
21- Baño de serv.
22- Dorm. principal
24- Dorm. huésp.
26- Dorm. servicio
28- Vestidor
30- Balcón
31- Terraza
38- Garaje
41- Patio
45- Parrilla-Barbacoa

References
1- Entry
2- Service Acess
4- Hall
5- Living room
6- Family room
8- Dining room
10- Kitchen
11- Pantry
13- Laundry
14- Store
20- Bathroom
21- Serv. bathroom
22- Main bedroom
24- Guest room
26- Service room
28- Dressing room
30- Balcony
31- Terrace
38- Garage
41- Courtyard
45- Grill-Barbecue

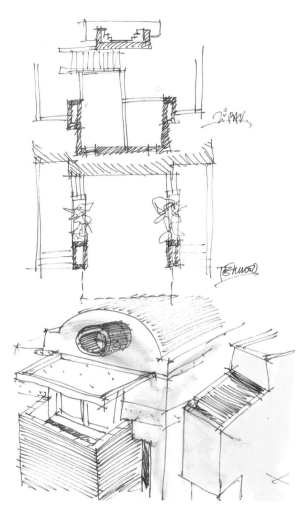

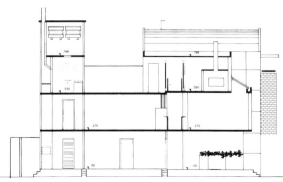

SECCION / SECTION

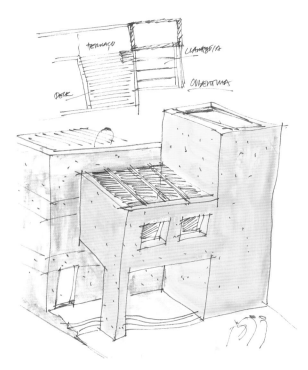

Otros títulos de la editorial Kliczkowski Publisher / Other titles by Kliczkowski Publisher

The best of Lofts

The best of Bars & Restaurants

Interiores minimalistas/Minimalist interiors

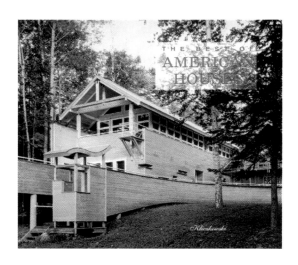

The best of American Houses

Estancias Argentinas

Lofts minimalistas/Minimalist lofts

Argentina: Florida 683 - Local 18 - C1005AAM Buenos Aires - Tel: 54 11 4314-6303 - Fax: 54 11 4314-7135 - info@cp67 / www.cp67.com

España: La Fundición, 15 Polígono Industrial Santa Ana - 28529 Rivas Vaciamadrid - Madrid - Tel: 34 91 666-5001 - Fax: 34 91 301-2683 - asppan@asppan.com / www.onlybook.cor